Marisa Madieri

Wassergrün

Eine Kindheit in Istrien

Aus dem Italienischen von
Ragni Maria Gschwend

Paul Zsolnay Verlag

Die italienische Originalausgabe erschien erstmals 1987
unter dem Titel *Verde aqua* bei Einaudi in Turin.

Der Abdruck des Nachworts erfolgt mit
freundlicher Genehmigung von Claudio Magris.

2 3 4 5 08 07 06 05

ISBN 3-552-05316-6
© Marisa Madieri 1987
Alle Rechte der deutschsprachigen Ausgabe:
© Paul Zsolnay Verlag Wien 2004
Satz: Satz für Satz. Barbara Reischmann, Leutkirch
Druck und Bindung: Ebner & Spiegel, Ulm
Printed in Germany

Wassergrün

Die Diele im Haus meiner Großmutter väterlicherseits, in Fiume, war geräumig und voller Licht. An einer Wand stand ein großer, wuchtiger Holztisch mit seltsamen Beinen, die bald dünn, bald sinnlich prall waren und in dicken, fetten Zwiebeln endeten. Auf dem langen Weg zwischen Tischplatte und Fußboden wich ihre Rundung manchmal plötzlich der Kantigkeit eines Kubus, um sich dann gleich darauf wieder in eine schlanke Fessel oder eine stramme Wade umzuformen. Meine Kinderfinger fuhren genüßlich diesen Windungen und Einschnitten entlang und stießen dabei auf verborgene Staubnester, die selbst der rigorosen und bisweilen übertriebenen Reinlichkeitsliebe der Großmutter entgingen.

Bald nach meiner Geburt waren meine Eltern aus finanziellen Gründen in das Haus der Großmutter Madieri gezogen und zwei Jahre dort geblieben. Der Raum meiner ersten Abenteuer, der krabbelnd in den häuslichen Labyrinthen unternommenen Entdeckungen, war also genau jene Diele, in der ich mich am freiesten bewegen durfte, da in ihr fast nichts herumstand.

Auch als meine Eltern in die Via Angheben zogen, wo ich bis zu meinem elften Lebensjahr blieb, kam ich regelmäßig zu dieser sonderbaren, rätselhaften Großmutter, die mich heiß und innig liebte. Sie war groß, aufrecht und schweigsam. Ihre Augen mit den geschwollenen Lidern bestanden aus zwei leicht nach unten gebogenen Schlitzen, ihr Mund war schmal und hart. Die strengen Züge des Gesichts wurden ein wenig gemildert durch eine Wolke weicher, weißer, von ein paar gelblichen Streifen durchzogener Haare, im Nacken zu einem Knoten zusammengefaßt. Wenn sie mich auf dem Arm hielt, vergrub ich mein Gesicht in diesen Haaren, deren sauberer Geruch für mich bis heute mit der Erinnerung an diese Großmutter verbunden ist.

Ihre Vergangenheit war von Geheimnis umhüllt. Auch mein Vater sprach wenig und ungern darüber. Mit Sicherheit weiß ich nur, da ich es in ihrem Totenschein gelesen habe, daß sie 1868 in Warasdin geboren wurde, Filippina Miletić hieß und einen Giorgio Madjarić heiratete, dessen Familienname im Lauf der Zeit zwei Anpassungen erfahren hatte, zuerst in Madierich und später in Madieri. Alles übrige aus ihrem Leben verschwimmt im Nebel der Legende. Aus den wenigen Andeutungen, die zu Hause gemacht wurden, habe ich nur ein paar Fakten rekonstruieren können, nämlich daß aus der Ehe mit dem Großvater Giorgio eine Reihe Kinder hervorgegangen waren, wie es scheint dreizehn, darunter auch Zwillinge. Viele der Kinder waren jedoch bereits im Säuglingsalter gestorben, und von den Überlebenden erzählte man sich tragische und ungewöhnliche Schicksale. Eine Tochter war mit Zwanzig an Lungenentzündung gestorben, genau an ihrem Hochzeitstag, eine andere hatte sich mit Achtzehn aus Liebeskummer umgebracht. Allein von dieser letzteren, Angelica, habe ich vor kurzem eine Fotografie gefunden, auf der sie mit strahlendem Lächeln zu sehen ist, eine Hand auf ein luftiges Sonnenschirmchen gestützt und die andere einen langen Rock streifend, von dem sie kokett einen Zipfel hebt. Über der schlanken Taille wölbt sich eine zarte, mädchenhafte Büste in einer weißen Hemdbluse, der eine Krawatte etwas männlich Strenges verleiht. Die braunen Locken sind unter einem kecken, mit einem Blumensträußchen verzierten Hütchen versteckt. Von dieser Tante ist mir sonst nichts erzählt worden, aber vieles läßt sich aus diesem Lächeln und aus diesem Blick lesen, der, trotz der pedantischen Anweisungen des Fotografen für die richtige Pose, ein stolzes und fröhlich-ausgelassenes Temperament erkennen läßt.

Die Großmutter war also viele Jahre lang verheiratet gewesen, als im Jahr 1904 irgend etwas ihr Leben plötzlich völlig verändert haben muß. Großvater Giorgio scheint ein vermögender

Holzhändler in Warasdin gewesen zu sein, der Pferde und Wagen besaß, leider aber auch dem Laster des Spiels verfallen war. An dem Tag, an dem er im Kasino Haus, Kutsche und Pferde verspielt hatte, verlor er der Legende nach auch seine Frau, die verbittert und schwanger mit ihrem letzten Kind, Luigi, meinem Vater, die Familie verließ und nach Fiume ging. Ich weiß nicht, ob diese Version völlig glaubhaft ist, denn in dem Fall hätte die Großmutter ja außer auf ihren Gatten auch auf die Kinder verzichtet, an denen sie sehr hing und mit denen sie ihr Leben lang in brieflichem Kontakt stand. Mir ist sogar schon der Gedanke gekommen, mein Vater könne ein uneheliches Kind sein, dessentwegen die Großmutter aus dem Haus gejagt worden sei. Doch abgesehen davon, daß mein Großvater seine Vaterschaft nie bestritten hat, scheint es mir ziemlich unwahrscheinlich, daß eine mit so vielen Schwangerschaften geschlagene Frau Zeit und Lust gehabt hätte, auch noch an außereheliche Abenteuer zu denken. Ich halte daher die mythische Version für wahrscheinlicher, daß nämlich die Großmutter irgendwann einfach genug hatte.

In Fiume, allein, ohne Mittel für den Lebensunterhalt und kurz vor der Geburt ihres Kindes, nahm die Großmutter beherzt ihr Schicksal in die Hand. Mit ihrer unergründlichen Miene und die bevorstehende Niederkunft unter einem engen Mieder und einem weiten Rock verbergend, akzeptierte sie eine anstrengende und für eine Frau ihrer sozialen Schicht demütigende Stelle als Putzfrau im Spielkasino, mit belastenden Arbeitszeiten, die in den Augen anständiger Leute noch dazu etwas Zwielichtiges hatten. Doch dank ihres eisernen Willens und ihrer Sprachkenntnisse – Serbokroatisch, Ungarisch, Deutsch und Italienisch – gelang es ihr bald, zur Garderobenfrau aufzusteigen. Damit begann ihr relativer Wohlstand. Denn weit mehr als das feste Gehalt waren es die Trinkgelder der reichen Herrschaften, die es der Großmutter ermöglichten, sich und ihren Sohn anständig durchzubringen und später die Wohnung zu kaufen, in der sie lebte. Es war also Ironie des Schicksals, daß ihr genau das Spielkasino, das in ihrem Leben den Beginn allen Unglücks bezeichnet hatte, später zu einer stolzen wirtschaftlichen und geistigen Unabhängigkeit verhalf, was für eine Frau in der damaligen Zeit sehr schwierig war.

Großvater Giorgio wurde aus ihrem Leben gestrichen. Mein Vater lernte ihn nicht nur niemals persönlich kennen, sondern sah auch nie eine Fotografie von ihm, ja er hörte nicht einmal die Großmutter je seinen Namen erwähnen. Er wurde lediglich Jahre später von seinem Tod benachrichtigt.

Die Tiefe der Zeit ist eine meiner jüngsten Errungenschaften. Morgens, wenn ich allein in der stillen Wohnung zurückbleibe, finde ich wieder zum Glück des Denkens, zum Schweifen in die Vergangenheit und zum Lauschen auf das Fließen der Gegenwart. Das ist etwas, was ich früher kaum gekannt habe. Nach einer Kindheit, die sich in der Unmittelbarkeit erfüllte und vollzog, einem Heranwachsen in Armut und Introvertiertheit und einer von ständiger Anstrengung geprägten Jugend bin ich nun zu einer Reife gekommen, in der die Dinge und Ereignisse einem langsameren Rhythmus zu folgen scheinen, der Zeit läßt zum Nachdenken. Aus der Welt des Broterwerbs und dank der bereits recht großen Kinder wurde ich der Freiheit meiner Wohnung und meines Tageslaufs zurückgegeben, und bei der vielfältigen alltäglichen Arbeit können die Gedanken auftauchen, sich entfalten und klären. Die Zeit, vorher fast ohne Dimensionen, reduziert zur bloßen Gegenwart durch ein gehetztes, von einer Turbine aus Pflichten, Sorgen und nur kurz sich gegönnten Freuden angetriebenes Leben, dehnt sich jetzt aus zu leichten Stunden, weitet und vertieft sich und füllt sich mit Echos und Erinnerungen, die sich nach und nach zu einem Mosaik zusammenfügen; sie kommen in kleinen Strudeln aus einem unbestimmten Magma herauf, das sich lange Jahre in einem dunklen, nie ausgeloteten Grund angesammelt hat.

So finde ich also im Gedächtnis die helle Diele der Großmutter wieder, von der aus in gleichmäßigem Abstand die Türen zu den anderen Räumen gingen. Hinten links lag die Küche, ganz in Weiß und ungemein aufgeräumt. Der sogenannte *sparhert* war an den Rändern emailliert, und die Kochplatte bestand aus einer Reihe konzentrischer Ringe, die man zu meiner Verwunderung abnehmen konnte, um größere oder kleinere Öffnungen zu schaffen. Auf dem Arm der Großmutter betrachtete ich oft mit fasziniertem Staunen das rotlodernde Feuer in diesen Löchern. Auch die Tischplatte aus hellem Marmor übte auf mich einen besonderen Reiz aus. Sie war von einem tiefen, schwarzen und unregelmäßigen Riß durchzogen, der in einem Gegensatz zu den leichten bläulichen Äderungen der Oberfläche stand. Mir machte es Spaß, mit den Augen diesen verschwommenen Arabesken zu folgen, diesen immer neuen Mustern, wie flüchtige Wolkenbilder an einem Frühlingshimmel. Die Küche hatte auch einen großen Balkon, der auf einen düsteren, staubigen Hof mit gestampftem Lehmboden ging.

Mit diesem Hof ist eine der Episoden aus meiner frühen Kindheit verbunden, an die ich mich gut erinnern kann. Nach unserem Umzug in die Via Angheben hatte die Großmutter ein Zimmer an einen jungen, schlanken und freundlich blickenden Offizier vermietet. Eines Tages, als die Großmutter mich auf dem Arm hatte, schenkte mir der Offizier eine Schachtel mit kleinen Schokoladetäfelchen, auf die ich ganz versessen war. Ich sagte nichts, gab aber der Großmutter zu verstehen, daß ich auf den Boden abgesetzt werden wollte. Mit der kostbaren Schachtel in der Hand ging ich auf den Küchenbalkon und warf sie in den Hof hinunter. Die Mama und die Großmutter machten mir heftige Vorwürfe wegen dieses unverständlichen, undankbaren und absolut ungezogenen Verhaltens. Keiner, auch nicht der junge Offizier, verstand, daß diese Geste nichts anderes war als ein unbeholfenes Manöver weiblicher Koketterie. Indem ich mich ablehnend zeigte, wollte ich zu verstehen geben, daß ich nicht leicht zu erobern sei, und erklärte mich bereit zum Liebesgeplänkel.

Danach rannte ich lange Zeit bei jedem Besuch auf diesen Balkon und versuchte drunten meine Schokoladenschachtel zu entdecken, vergeblich geopfert und für immer verloren, zusammen mit dem schönen Offizier, den ich nie wiedersah.

Die größten und geheimnisvollsten Verlockungen im Haus der Großmutter kamen jedoch aus dem Speisezimmer, das auch als Salon diente und dessen Zutritt mir, selbst als ich schon älter war, verwehrt blieb. Die Großmutter hielt es verschlossen und öffnete es nur zu besonderen Anlässen, bei wichtigen Besuchen oder irgendwelchen festlichen Essen. Durchs Schlüsselloch suchte ich neugierig, seine Geheimnisse zu ergründen. Es lag immer im Halbdunkel, fast als ob auch das Licht Würde und Andacht des Raums stören könnten. Die Einrichtung war überladen, doch in meinen Augen gab es nichts Schöneres als die Schale mit farbigen Glasfrüchten in der Mitte der großen Tafel. Das spärliche Licht, das durch die Fenster hereindrang, schien sich ganz in dieser vielfältigen verschwommenen Transparenz zu sammeln, im bald leuchtenden, bald matten Widerschein der dunkelroten, violetten, amarantfarbenen und blauen Formen. Die Äpfel, die Pflaumen, die Birnen und die über den Rand hängenden Weintrauben gaukelten mir eine ferne, märchenhafte Üppigkeit vor. Dieses Zimmer wird für mich immer ein mythisches und unerforschtes Land bleiben, das Atlantis meiner Kindheit.

An meine Mutter denke ich immer öfter und intensiver. Die Wurzeln meiner Kraft und meiner Fähigkeit, bei Schwierigkeiten nicht aufzugeben, gründen in ihrer Liebe. Die Einsamkeit, die selbst in einem an Zuneigung reichen Leben irgendwo lauert und die mir vor drei Jahren plötzlich ihr Medusenhaupt gezeigt hat, findet nach wie vor in ihr Trost und Überwindung. Ihre absolute und unverrückbare Liebe zu mir und meiner Schwester ist das Reinste und Unverwundbarste, was mir das Leben geschenkt hat.

Ich sehe sie in verschiedenen Momenten ihres Lebens wieder, in voneinander losgelösten Bildern. Manchmal erscheint sie mir als junge Frau in der Via Angheben, mit ihren tiefschwarzen gewellten Haaren, den grünen Augen, immer ein wenig außer Atem und in Sorge, irgend etwas nicht gewachsen zu sein. Dann wieder sehe ich sie in Triest vor mir, im Flüchtlingslager Silos, niedergedrückt von Kummer, Elend, einer tyrannischen Mutter, dem Fehlen eines echten Zuhauses und nur erfüllt von dem Wunsch, rasch zu altern, um Zeit zu haben, »Bücher zu lesen«. Und schließlich erinnere ich mich an sie mit grauen Haaren und einem ungemein sanften Blick in ihren letzten Lebensjahren in der Via Piccardi, wieder in einer richtigen Wohnung und endlich wieder heiterer, trotz anderer Nöte, zufrieden, daß ihre Töchter ein Diplom in der Tasche hatten und eine unabhängige Zukunft vor sich, so anders als die ihre.

Meine Mutter ist mir zu früh entrissen worden, gerade als ich hätte anfangen können, ihr etwas von dem zurückzugeben, was ich bis dahin nur empfangen hatte.

Die Jahre in der Via Angheben, nach dem Krieg in Zagrebačka Ulica umbenannt, waren Jahre voll ausgelassener Spiele, voll Glück und Freiheit. Mein Garten, der mir, als ich ihn als Erwachsene wiedersah, eng und armselig vorkam, verkörperte in meinen Kinderaugen die ganze Welt, das Abenteuer schlechthin. Seine Ligusterhecken waren ein Wald, die Katzen, die sich darin versteckten, die Spatzen, die Ameisen und die Eidechsen alle Tiere des Gartens Eden, die auf dem Boden verstreuten Steine und bunten Glassplitter Schätze und Edelsteine und die Stufen, die zur Hausmeisterwohnung führten, eine Schloßtreppe. Hinter unserem Haus lag der Baross-Hafen, Schauplatz meiner ersten Streifzüge über die häuslichen Grenzen hinaus. Von unseren Fenstern aus sah ich das tiefe, unruhige Meer des Quarnaro-Golfs, in dem ich sehr früh schwimmen lernte, angeleitet von meinem Vater, der ein guter Taucher war und ungewöhnlich lang unter Wasser bleiben konnte, ohne Luft zu holen. Er machte sich oft einen Spaß daraus, so zu tun, als sei er für immer verschwunden, und kam erst wieder hoch, wenn wir schon anfingen, uns ernstlich Sorgen zu machen.

Selbst der schreckliche Krieg war für mich ein kurioses Abenteuer: Bomben, Brände, Alarm, das Rennen in die Luftschutzkeller erschienen mir als unergründliche Episoden, die mein Leben nicht bedrohten, sondern nur aufregender machten. Die Soldaten waren für mich alle gute Menschen, seit gegen Kriegsende ein junger deutscher Soldat, der in ein Mädchen aus unserem Haus verliebt war, heimlich kam und uns warnte, damit wir unsere Vorkehrungen treffen könnten, daß am nächsten Tag der Baross-Hafen mit Minen in die Luft gesprengt würde.

Neben meiner vier Jahre jüngeren Schwester Lucina, blond, pausbäckig und ruhig, die viele beschauliche Stunden mit Daumenlutschen verbrachte und mir folgsam überallhin nachlief, wobei sie mir jedoch meistens nur bei meinen pausenlosen Aktivitäten zuschaute, hatte ich noch viele Spielkameraden. Am liebsten mochte ich ein kleines jüdisches Mädchen, Cicci Naugebauer, die im Stockwerk unter mir wohnte. Ihre Wohnung, in die ich nur selten durfte, war aufgeräumt und herrschaftlich, im Gegensatz zu unserer, in der immer ein gewisses Durcheinander herrschte. Cicci hatte ein Zimmer ganz für sich allein, voller Spielsachen, darunter große Puppen wie rosa Wolken. Sie muß auch ziemlich verwöhnt gewesen sein, denn die wenigen Male, die ich zu ihnen eingeladen wurde, sollte ich ihr bei den Mahlzeiten Gesellschaft leisten und sie ablenken, weil sie sonst nichts aß. Bei Kriegsende gingen die Naugebauers fort, und in ihre Wohnung zog eine wohlhabende südslawische Familie. Die beiden Kinder, die ungefähr mein Alter hatten, hießen Branko und Mile. Der Vater war Beamter, die Mutter eine bildschöne Dame mit schwarzen, von langen Wimpern beschatteten Augen. Der ältere Sohn, Branko, sah ihr ähnlich. Auch er hatte diese schwarzen Augen, die bezaubernden Wimpern und den dunklen Teint.

Auf demselben Stockwerk wie wir wohnte seit jeher die Familie Scatola mit drei Kindern, von denen der größte, Gigi, mein Alter hatte und sehr schüchtern war. Er richtete nie von sich aus das Wort an mich, sondern antwortete lediglich rasch und verlegen auf eine meiner ungehörigen Fragen. Doch das störte mich nicht. Ich hatte beschlossen, ihn, ohne ihn deswegen fragen zu müssen, später zu heiraten, und machte ihn in meiner Phantasie zum unterwürfigen Gesprächspartner vieler Spiele, vor allem, wenn es darum ging, sich eine Familie auszudenken.

Mit Branko, Mile und vielen anderen slawischen Kindern, die in meinen Garten kamen, lernte ich rasch kroatisch sprechen, vergaß es allerdings ebenso rasch wieder, nachdem wir Fiume verlassen hatten. In meinem Gedächtnis treiben nur noch, wie

Strandgut in einem Ozean, einzelne Bruchstücke von Auszähl-versen, deren Klang ich noch im Ohr habe, ohne mich jedoch zu erinnern, was sie bedeuteten: *Cassezigonaiedè siraicrumpira zielahischiaseplema daziganke darozanke iossiselanema* ... Viel-leicht um diesen verlorenen Bedeutungen nachzuspüren, habe ich vor zwei Jahren wieder begonnen, Serbokroatisch zu lernen.

Ich fing an, immer öfter an Brankos braune Augen zu den-ken, und bald geriet mein Entschluß, Gigi zu heiraten, ins Wan-ken. Eine Zeitlang schwankte ich noch zwischen Treue und Abenteuer, zwischen Vertrautem und Exotischem, doch schließ-lich obsiegte der slawische Charme. Natürlich hatte Branko keine Ahnung, daß er der Komplize meiner Untreue war, und überhaupt schenkte er der wilden kleinen Italienerin nie beson-dere Aufmerksamkeit.

Die Familie Scatola zog ein paar Monate später nach Italien, und viele Jahre später erfuhr ich von Onkel Alberto, daß sie sich in Genua niedergelassen hatte und Gigi Ingenieur geworden war.

Merkwürdigerweise haben mir die fünf in Fiume verbrachten Volksschuljahre nur verschwommene und meist unangenehme Erinnerungen hinterlassen. Von der dritten bis zur fünften Klasse machte ich in meiner nun nicht mehr italienischen Stadt die Bekanntschaft mit dem jugoslawischen Schulsystem, das außer dem obligatorischen Erlernen der serbokroatischen Sprache für jedes Fach eine eigene Lehrkraft vorsah. Ich weinte meiner lieben, mütterlichen und nachsichtigen alten Lehrerin nach, die mich Bordüren in die karierten Hefte malen ließ, mich lobte für die Kastanien, die Sonnen und die Christbäume mit den vielen schiefen Kerzen, die ich so gern zeichnete, und mich tröstete, wenn ich bittere Tränen vergoß wegen der Seiten, die ich aus dem Heft reißen mußte, da sie vom vielen Radieren Löcher bekommen hatten.

Mit niemandem aus der Klasse schloß ich besondere Freundschaft. Ich erinnere mich nur an Cocon, der in der Fünften bei den Jungen der Beste war, während ich die Beste bei den Mädchen war. Zwischen uns herrschte eine stille Rivalität um den absoluten Rekord. Ich schlug ihn in Italienisch, aber er brillierte dafür in Mathematik, was schließlich zu meinem Waterloo wurde, als es bei einer Klassenarbeit um das bekannte Problem einer Wanne mit Wasserhähnen ging, um Volumen und Liter pro Sekunde. Zu den anderen unangenehmen Erinnerungen gehört auch eine mündliche Prüfung in der Vierten über die Französische Revolution. Ich brachte kein Wort heraus und fing schließlich an zu heulen. Vielleicht datiert von daher mein gestörtes Verhältnis zur Geschichte, die auch in den späteren Jahren für mich ein Problem blieb.

Doch dem tristen Schulmilieu auf der einen Seite entsprach auf der anderen ein sehr vielfältiges, interessantes Familienpanorama. Außer meiner Mutter, meiner Schwester und meinem großen Papa (der, um die Wahrheit zu sagen, nie viel Zeit für seine Familie übrig hatte, obwohl er sehr an ihr hing) wohnte seit seiner Heirat auch noch Mamas jüngerer Bruder, Onkel Alberto, mit seiner Frau, Tante Ada, bei uns. Onkel Alberto hatte mich sehr gern, eine Zuneigung, die ich erwiderte, wenngleich auf eine unschöne, aggressive Weise. Tatsache ist, daß ich schrecklich eifersüchtig auf Tante Ada war. Ich konnte es nicht ertragen, daß die beiden Eheleute versuchten, sich abzusondern, daß sie mich aus ihren Gesprächen ausschlossen und ohne mich zusammen schliefen. Der Tante Ada spielte ich regelrecht üble Streiche. Im Krieg waren Seidenstrümpfe ein rares, kostbares Luxusgut, und die Tante, die jung war und auf Eleganz hielt, hütete sie wie eine Reliquie. Ich ging so weit, daß ich sie ihr unter den Schränken versteckte, von wo sie dann, unter den Wutausbrüchen und Tränen meines Opfers, ganz zerrissen wieder hervorgeholt wurden. Wenn sich Onkel und Tante in ihrem Zimmer einschlossen, hämmerte ich an die Tür, bis sie mich völlig entnervt hereinließen. Ich wundere mich nicht, daß ein paar Jahre später, als unsere Familie alles zurücklassen und ins Exil gehen mußte und die beiden Brüder meiner Mutter beschlossen, mich und meine Schwester in Venedig beziehungsweise Como bei sich aufzunehmen, die Tante Ada ausrief: »Nein, Marisa nicht!« Doch sie nahm mich auf und wurde für mich eine gute und auch liebevolle Ersatzmutter während der Monate, die ich mit ihnen in einem möblierten Zimmer am Lido von Venedig verbrachte, wohin sie mit der kurz vor ihrer (und zwei Jahre vor unserer) Aussiedlung geborenen kleinen Tochter Nadia gegangen waren.

Die Liebe meines Onkels zu mir nahm trotz meiner Ungezogenheiten nie ab. Er war es, der mir, noch ehe ich zur Schule ging, geduldig das Lesen und Schreiben beibrachte. Begierig wartete ich, schon mit Heft und Bleistift in der Hand, auf seine Heimkehr. Zwar war ich eine sehr willige, aber keine besonders brillante Schülerin, so daß der Onkel bei meinen Leseübungen einmal die Geduld verlor und mir mit dem Bleistift auf den Kopf schlug. Ich brachte es nämlich nicht fertig, die beiden auseinandergeschriebenen Silben pi und pa so zusammenzufügen, daß sie das Wort *pipa*, Pfeife, bildeten, und las, als der Onkel mich aufforderte, sie ohne Pause dazwischen zu lesen, piëpà, piëpà, immer schneller, weil ich dachte, mein Fehler bestünde darin, daß ich die Laute zu langsam aneinanderreihte. Diesen kleinen Schlag auf den Kopf habe ich nicht vergessen.

Onkel Alberto war der einzige in der Familie, der seine Aversion gegen das faschistische Regime nicht verhehlte. Er empfand dessen Ungerechtigkeit, Verrücktheit und die Lächerlichkeit bei diesen samstäglichen Sportversammlungen auf der Piazza, bei denen er sich gegen seinen Willen in mannhaft ertüchtigenden Gymnastikübungen zur Schau stellen mußte. Meine Eltern dagegen waren für das Regime: Papa verführt durch einen romantischen Vitalismus à la Emilio Salgari und Mama aus Naivität. Sie sagten oft, der Duce wolle »Italien groß machen«. Dabei waren beide keine ganz ungebildeten Menschen. Mama hatte die städtischen Schulen besucht und Papa sich an der Fakultät für Ökonomie und Kommerz in Triest immatrikuliert, freilich ohne je einen Abschluß zu machen, was er immer wieder vergaß. Tatsächlich ließ er sich seelenruhig »Dottore« nennen und später, in seinen letzten Lebensjahren, auch »Colonello« aufgrund von imaginären Afrikafeldzügen, aus denen angeblich die an einem Bein sichtbaren tiefen Verwundungen stammten, die in Wirklichkeit jedoch, wie es scheint, von einer Knochentuberkulose herrührten, die er sich vor seiner Heirat zugezogen hatte.

Meinem Vater gelang es immer, sich seine Vergangenheit in der Erinnerung zurechtzumodeln und sein Leben, das reale Tiefen und Höhen, Elend und den zähen Kampf dagegen gekannt hatte, in eine Mantel- und Degengeschichte, voll von abenteuerlichen Episoden und glorreichen Unternehmungen, umzuformen, an die er zum Schluß selbst glaubte. Außerdem wurde er immer getragen von einem unerschütterlichen Vertrauen in seinen guten Stern. »Ich spüre, daß ich einmal reich sterben werde«, pflegte er jedesmal zu sagen, wenn er einen Totoschein ausfüllte oder sich von gewitzten Händlern, die sich im Hafen von Triest herumtrieben, billige Fotoapparate, Teppiche, Bettüberwürfe, Feuerzeuge oder irgendwelchen Elfenbeinkitsch aufschwatzen ließ, in der Hoffnung, sie mit einer großen Gewinnspanne weiterverkaufen zu können. Doch sie landeten stets bei uns und verstopften die Wohnung.

Vergangenen Montag habe ich mich mit Herrn Temporin ge-
troffen, dem Steinmetz in Cervignano, um mit ihm über die
Anlage und die Kosten des Familiengrabs einig zu werden, das
Claudio und ich gekauft haben, vor allem um den Wünschen
der Großmutter entgegenzukommen. Ein großes Grab mit acht
Plätzen.

Als ich, schon im September, auf der Gemeindeverwaltung,
Dezernat XII, Abteilung Friedhöfe, vorstellig wurde, hat mir die
freundliche Angestellte den Plan mit den verfügbaren Grabstel-
len vorgelegt, mir dabei die jeweiligen Vor- und Nachteile er-
läutert und mich gefragt, ob ich den Blick lieber auf Poggi Sant'
Anna oder auf die Kranzverbrennungsanlage haben wolle. Nach
Ausschluß der Verbrennungsanlage wegen des schlechten Geruchs, gegen den ich schon immer sehr empfindlich war, wurde
die Wahl schließlich von der größtmöglichen Nähe zum einzigen Brunnen des Gräberfelds bestimmt, um den Nachkommen
einen zu weiten Weg zu ersparen, wenn sie das Blumenwasser
wechseln wollen.

Mit Herrn Temporin habe ich den Marmor von Aurisina
ausgesucht und die Maße bestimmt für die Einfassung, die
kleine Stufe, das Grabgefäß, die Grabplatte sowie für das Bron-
zekreuz, das als einziges Ornament darauf kommen soll. Auch
die Zahlungsmodalitäten wurden festgelegt, und Herr Temporin hat mich liebenswürdig und dank seiner langen Erfahrung
aufs beste beraten.

Mein Vater und meine Mutter werden eines Tages dort nebeneinander ruhen, endlich wieder vereint.

Nonna Anka habe ich noch nichts von meiner Errungenschaft erzählt, diese Freude will ich ihr erst machen, wenn alles fertig ist und ich sie vor das Grabmal führen kann, auf dem in bronzenen Lettern der Name von Großvater Gigio steht. Sie wird stolz darauf sein. Unsere Großmütter scheinen beide eine Schwäche für Familiengräber zu haben. Sie unterhalten sich mit Vorliebe darüber und geben bei Verwandten und Bekannten damit an. Vor allem Großmutter Anka ist sehr beschäftigt mit der Pflege ihrer zahlreichen Verstorbenen, die zwischen Serbien und Friaul-Julisch Venetien verstreut sind.

Anka Grković, verwitwete Puhalj, verwitwete Belić, verwitwete Gregorutti und schließlich auch noch verwitwete Madieri, ist in unsere Familie kooptiert und zur Großmutter befördert worden, nachdem sie mit über Siebzig die letzte Lebensgefährtin meines Vaters wurde, der ebenfalls seit ein paar Jahren verwitwet und inzwischen für die Familie zum Großvater Gigio geworden war. Sie hat ihn nur nicht geheiratet, um nicht die Pension ihres letzten, immer nur als »der Verstorbene« apostrophierten Gatten zu verlieren. Geboren wurde sie in Bela Crkva, in der Nähe von Belgrad, an der Grenze zu Rumänien, als Tochter einer rumänischen Mutter und eines serbischen Vaters, Landbesitzer und Kaufmann, der die in der Region stationierten ungarischen Truppen verproviantierte. Immer wieder hat sie sich verheiratet auf der Suche nach soliden Vermögens- und ehrbaren gesellschaftlichen Verhältnissen und hat jedem ihrer Ehemänner treu und gewissenhaft bis zum Tod gedient. Von der Wojwodina nach Dalmatien, von Dalmatien nach Udine und von Udine nach Triest hat ihre eheliche Route vorläufig in der Via Piccardi ein Ende gefunden. Doch ich wage zu behaupten, daß dies die letzte Etappe sein wird. Mein Vater war für sie nicht irgendeine austauschbare Aufgabe, sondern eine späte

Liebesbegegnung. Nonna Anka liebt daher auch mich, meine Schwester und unsere Familien, betrachtet unsere Kinder als ihre Enkel und hat eine besondere Schwäche für Paolo, weil er dem Großvater Gigio so ähnlich sieht. Aus einer dumpfen Agrar- und Feudalgesellschaft stammend, hat sie lange gebraucht, um zu begreifen, daß wir nichts von ihr wollen, daß wir weder nationalistische Ressentiments noch wirtschaftliche Erwartungen hegen, sondern daß wir sie akzeptieren und gern haben, weil sie unserem Vater, der nach dem Tod von Mama nur noch ein Schatten seiner selbst war, die letzten Lebensjahre verschönt hat. Sie war überrascht, in eine Familie zu kommen, wo Dankbarkeit und Zuneigung mehr zählen als Geld, an das man nur denkt, wenn es fehlt. Nach dem Tod meines Vaters erwartete sie, daß meine Schwester und ich als Erben die Wohnung, in die sie – nachdem sie couragiert ihr ganzes Hab und Gut liquidiert hatte – zu Großvater Gigio gezogen war, verkaufen würden, und wunderte sich sehr, als wir sie aufforderten, für immer dort wohnen zu bleiben.

Ihre stets kurzen und diskreten Besuche bei mir sind für mich immer eine Quelle herzlichen Vergnügens. Wenn ich sie dazu ermuntere, beginnt sie ellenlange Erzählungen von historischen Ereignissen aus ihren heimatlichen Gegenden, dem Banat, Slawonien, Serbien, Ungarn und Rumänien, aus denen Rassen- und Klassenstolz, antisemitische Vorurteile, leidenschaftlicher Haß auf die Tito-Anhänger und monarchistische Nostalgie sprechen. Sie verbreitet sich in eingehenden Schilderungen von Personen, die immer aus dem Donauraum stammen, wobei es aber nur um deren gesellschaftliche Rolle geht. Von diesen Unbekannten liefert sie mir äußerst präzise Informationen über Abstammung, Adels- und akademische Titel, Einkommensverhältnisse, Ehen, Nachkommenschaften sowie Glücks- und Unglücksfälle, stets im Zusammenhang mit den daraus resultierenden finanziellen Konsequenzen. Nie ein Hinweis auf das Aussehen, das Wesen, auf eine Marotte, einen Tic, eine Geste der Freude oder der Verzweiflung. Keinerlei Psychologie. In ihrer Weltsicht rangieren Rührung und Mitleid weit unter der unerschrockenen und harten Einsicht in die Unvermeidbarkeit der Ereignisse. Ich habe sie nie klagen hören, auch nicht im Krankenhaus, wo sie sich mehrmals schweren chirurgischen Eingriffen unterziehen mußte. Nie eine Träne über ihre Mißgeschicke und über die Einsamkeit, in die sie geraten ist. Nur beim Tod meines Vaters habe ich sie weinen sehen.

Mit ihr war Großvater Gigio zum glücklichen Kind regrediert, da er, wie meine Schwester bemerkte, seine Mutter wiedergefunden hatte. Tatsächlich umsorgte Nonna Anka ihn selbstlos und hingebungsvoll. Sie redete mit ihm deutsch, die Muttersprache meines Vaters, kochte ihm die typischen ungarischen und serbischen Gerichte, gab ihm die Gerüche und den Geschmack von Paprika, Zwiebeln, Zimt, Kümmel und Mohn wieder, und unermüdlich ging sie mit ihm auf Reisen. Großvater Gigio wiederum machte sie glücklich mit Handküssen und altmodischen Höflichkeiten sowie mit seiner angeborenen Gutmütigkeit. Er wuchs in ihrer Achtung, wenn er ihr seine legendären Abenteuer erzählte, behauptete, sieben Sprachen zu sprechen (er sprach halbwegs vier) und sich seiner Bibliothek rühmte, die tatsächlich ganz gut bestückt war.

Nonna Anka glaubt auch heute noch, daß mein Vater mit dem Grad eines Colonello in Afrika gekämpft hat und daß er ein Mann von erlesener Bildung war. Sorgsam und ehrfuchtsvoll wacht sie über seine Bücher.

Neulich brachten sie im Fernsehen das Ibsen-Drama *Die Frau vom Meer,* diese zarte Geschichte eines Traums, einer melancholischen Phantasie, eines unbestimmten Verlangens. Die Bilder des flüchtigen nordischen Sommers, des dunklen Fjords, durchzogen vom Dampfschiff, dem Boten eines unbekannten Ozeans, haben der Sehnsucht Ausdruck verliehen, die auch in mir ist, einer Sehnsucht jedoch nach dem, was war und was ist, nicht nach einer wirklichen und anderen Zukunft, die ich eher fürchte als Reich der Veränderung. Vor achtzehn Jahren bin ich mit diesem Schiff aufgebrochen ins Unbekannte und habe die von Ellida erträumten Dinge kennengelernt: die Möwen, die Delphine, die Stürme und die Flauten, die Wellen und das Funkeln des Mittags.

Der älteste Kern meiner Sehnsucht liegt auf einer Adria-Insel, zwischen duftenden Salbeibüschen, die sonnendurchglühte Steinhaufen und Schaumkronen versilbern, die »auf hoher See Sirenen waren«. Doch durch dieses stehende, zeitlose Licht zieht eine Ahnung von Sonnenuntergang. Die Insel weiß inzwischen vom Widerspruch.

In der Nähe der Piazza Dante, im Zentrum von Fiume, wohnte die Großmutter Quarantotto zusammen mit dem Großvater und der Familie der Tante Nina, die damals erst zwei Kinder hatte, Enzo und Elsa. Das jüngste, Italo, kam dann in Triest, im Flüchtlingslager Silos zur Welt.

Das Haus besaß einen imposanten Eingang, dunkel wie eine Höhle und außen von zwei mächtigen Karyatiden flankiert, die, unmittelbar unter dem Architrav stehend, das ganze Gebäude zu stützen schienen. Auch die Wohnung war dunkel und wirkte fensterlos, denn die Großmutter war keine Freundin von Luft und Licht und hielt die Läden immer halb geschlossen. Sie war die treibende Kraft des Hauses. Die anderen, ganz besonders Großvater Antonio, waren lediglich Satelliten, die um ihren anmaßenden Stern kreisten. Großvater Antonio war ein sanftes altes Männchen, asthmatisch und ganz krumm, fast ohne Hals, und er starb wenige Monate nach der Aussiedlung in Como. Er war in Dalmatien, in Ragusa, geboren und hatte, früh verwaist, als Schiffskoch zu arbeiten begonnen. Später eröffnete er in Fiume ein Restaurant, das Lloyd, das mit der Zeit zum bekanntesten und gepflegtesten der Stadt wurde. Vor dem Zweiten Weltkrieg ging das Lokal pleite, und der Großvater machte nun in der Nähe ein melancholisches Café auf, das ich als düster, verräuchert und immer leer in Erinnerung habe; das einzig Fröhliche darin war das grüne Tuch des großen Billardtischs.

Der Großvater stand völlig unter dem Pantoffel seiner Frau, und daher gab es mit ihm keine größeren Probleme im Zusammenleben, aber zwischen Mutter und Tochter sowie dem Schwiegersohn Rudi war die Beziehung äußerst gespannt, und es krachte häufig. Die Großmutter Maria, die ich seltsamerweise bei ihrem Nachnamen (Quarantotto) nannte, wie ich es auch mit der Großmutter Filippina (Madieri) hielt, war in San Colombano, in der Nähe von Muggia, geboren und stammte aus einer Bauernfamilie. Vom Land hatte sie sich die Härte und die Unerbittlichkeit bewahrt. Ihre Geschwister unterteilte sie in zwei Kategorien: Mit Respekt sprach sie von Matteo, der in Monfalcone Werftarbeiter, und von Giordano, der Taucher geworden war, sowie von dessen Sohn Ernesto, einem großen Flieger, der bei einem Flugzeugunglück ums Leben kam. Dagegen verachtete, ja haßte sie beinahe ihren Bruder Domenico, der Bauer geblieben war, sowie die Schwestern Rosina, ungebildet und Tabakschnupferin, und Teresa, die jüngste, die als verworfen galt, weil sie verführt und nach der erzwungenen Hochzeit sehr bald von ihrem brutalen und versoffenen Ehemann sitzengelassen worden war. Die in Schande empfangene kleine Tochter starb sehr früh und war der einzige Lichtblick im Leben dieser Tante gewesen, die in dem armseligen Zimmer, in dem sie im Alter allein lebte, auf der Glasplatte der Kredenz eine von der Zeit und den Küssen verblaßte Fotografie ihres Kindes stehen hatte. Tante Teresa hatte eine Schwäche für meine Schwester, die sie »Goldlöckchen« nannte, wahrscheinlich weil sie in Lucina irgendeine Ähnlichkeit mit ihrer kleinen Tochter entdeckte.

Diese Unterteilung in Kategorien hatte die Großmutter auch auf die eigenen Kinder und Enkel übertragen. Meine Mutter, die Erstgeborene und Sanfteste, war ihr Liebling, und auch Alberto, der Jüngste, wurde mit Zuneigung betrachtet. Die beiden anderen aber, Vittorio und Nina, vor allem jedoch Nina, hatten bei ihr wenig zu lachen. Von den Enkelkindern bevorzugte sie Enzo, der bei ihr in der Wohnung auf die Welt gekommen war, und dann kam ich als Joles Tochter. Die zwei anderen, jüngeren Enkel wurden als quantité négligeable betrachtet, ja mehr oder weniger abgelehnt, da es Mädchen waren. Tatsächlich hatte die Großmutter eine grausige Ansicht von ihrem eigenen Geschlecht und definierte die Frau als »eine Kloake«.

Großmutter Quarantotto, halbe Analphabetin und hochintelligent, muß in ihrer Jugend sehr schön gewesen sein. Ich besitze noch eine Fotografie, auf der sie mit dem Großvater und den vier rasch hintereinander geborenen Kindern zu sehen ist, und ich muß zugeben, daß sie eine Frau von seltener Anziehungskraft war. Meine Mutter erzählte mir, sie, als die Älteste, sei im Ersten Weltkrieg zum Onkel Domenico aufs Land geschickt worden, da die Familie in Fiume nichts zu essen hatte. Dort in Semedella blieb die Mama vom sechsten bis zum neunten Lebensjahr und hütete die Kühe, die Cvika und die Stella, auf der Weide. Als bei Kriegsende die Großmutter kam, um ihre Tochter, die sich fast nicht mehr an sie erinnerte, wieder zu holen, hatte diese den Eindruck, ihr erscheine die Madonna. Seit damals siezte sie, als einzige unter den Geschwistern, ihre Mutter. Auch noch im Alter hatte sich die Großmutter ein majestätisches Auftreten bewahrt sowie edle Züge und prächtige weiße Haare, zart und wie Seide glänzend, obwohl sie sie sehr selten wusch.

Bei einer Podiumsveranstaltung über das ungeborene Leben und die Probleme der alten Menschen mußte ich ein kurzes Referat über die Aktivitäten des CAV in Triest halten. Es war das erste Mal, daß ich in der Öffentlichkeit sprach, und es fiel mir nicht leicht, meine angeborene Zurückhaltung und das Bedürfnis, im Hintergrund zu bleiben, aufzugeben. Zum Glück war ich nicht allein auf dem Podium, sondern mit anderen Referenten: Psychologen, Ärzten und Vertretern einiger Freiwilligenverbände. Vor allem aber wußte ich, daß in dem Moment meine Person überhaupt nicht zählte, sondern daß ich lediglich eine Stimme war, eine Zeugenaussage. Ich war zwar aufgeregt, aber doch nicht so, wie ich es wahrscheinlich noch vor ein paar Jahren gewesen wäre. Das Älterwerden hat auch sein Gutes. Man wird gelassener, selbstbewußter und gleichzeitig bescheidener. Unnütze Knechte, heißt es im Evangelium.

Genauso habe ich mich letztes Jahr an einem Frühlingstag gefühlt, während ich die Via Capitolina hinunterging. Es war der Mai des Referendums. Zwischen den windbewegten Wipfeln der blühenden Kastanienbäume sah ich die blauen Kuppeln und die Dächer meiner herben Stadt und dahinter das glänzende Meer. Die Unbekümmertheit, Oberflächlichkeit und die spitzfindigen Argumente, mit denen viele Menschen, selbst solche, die mir nahestehen, das Problem der Abtreibung behandeln, hatten mich tieftraurig gemacht, vor allem aber mir meine Unfähigkeit noch stärker vor Augen geführt, die Gründe der Justiz anderen verständlich zu machen. Ich hätte die Steinschleuder Davids und den Schild des Achilles haben mögen, um den Niedrigen, den Vergessenen, den Getretenen zu verteidigen. Ich habe geweint und gebetet. Es ist nicht leicht, die eigene Unzulänglichkeit zu akzeptieren.

Claudio war es, bei dem ich Stimme und Kraft fand, die mir

zur Verteidigung unserer schwierigen Werte fehlten. Auch dieser Tatsache verdankt unser gemeinsames, eine neue Blütezeit entdeckendes Leben sein immer tieferes Einvernehmen, das Glück von Miholašćica, die Reise ins »tausendjährige Reich«.

Wenn die Großmutter Quarantotto noch am Leben wäre und gesehen hätte, daß mir sogar der *vescuo*, der Bischof, und viele *uturità*, Autoritäten, zugehört haben, wäre sie vor Stolz geplatzt. Tatsächlich waren Erfolg und Macht das, was sie im Leben am meisten bewunderte, anstrebte und innerhalb ihrer kleinen Welt auch erreichte. Mit ihrem anmaßenden Ehrgeiz gelang es ihr immer, geschätzt, gefürchtet und bedient zu werden und im Alter sich sogar noch als Wohltäterin der Flüchtlinge und fast wie eine Heilige verehren zu lassen.

In den besten Jahren des Lloyd stolzierte sie in kurzen Auftritten wie eine Königin zwischen den Tischen hindurch, würdig und imposant und wohlwollendes Lächeln verteilend, um gleich darauf wieder in den Kulissen ihres Theaters zu verschwinden. Die Gäste huldigten ihr, die Kellner fürchteten sie, und der Großvater gehorchte ihr; die Tante Teresa – dick, verschwitzt und grobschlächtig geworden durch die viele Arbeit – fungierte als Köchin und die Tante Nina als Küchenmagd.

Meine Mutter, ein Mädchen von zwanzig Jahren, saß an der Kasse. Vielleicht war das der Grund, weshalb Papa ein so fleißiger Besucher des Lokals wurde. Er kam mit dem Motorrad an, mit dem er aus beruflichen Gründen in Istrien unterwegs war, und trat mit staubigen schwarzen Stiefeln, Motorradbrille und Sturzhelm draufgängerisch in die Gaststube. Meistens bestellte er ein Bier, und beim Bezahlen verweilte er dann ein wenig bei der jungen, schüchternen Kassiererin mit den tiefschwarzen Haaren und dem treuherzigen Lächeln.

Seine Biere wurden mit der Zeit immer häufiger, so daß die Großmutter allmählich anfing, Verdacht zu schöpfen. Ich bezweifle, daß sie irgendeinen Verehrer ihrer Lieblingstochter mit offenen Armen aufgenommen hätte, aber diesen athletischen und arroganten jungen Mann verabscheute sie ganz besonders.

Die Antipathie war natürlich gegenseitig. Meinen Vater ärgerte es vor allem, wie schamlos die Großmutter ihren Mann behandelte. Eines Tages kam es deswegen plötzlich zum Eklat.

Der Großvater hatte, ohne seine Frau vorher zu fragen, Lampions bestellt, die man an den Sommerabenden draußen aufhängen konnte. Als die Ware geliefert wurde, bekam die Großmutter vor allen Leuten einen Wutanfall, fing an, die Rechnungen zu zerreißen und schrie ihren Mann an, daß an Lampions keinerlei Bedarf bestehe. Mein Vater, der gerade sein übliches Bier an der Theke schlürfte, geriet so in Zorn über die Demütigung des Großvaters, daß er den noch vollen Bierkrug seiner zukünftigen Schwiegermutter ins Gesicht schüttete. Donna Maria, eine hervorragende Schauspielerin, sank mit melodramatischer Geste ohnmächtig zu Boden. Daraufhin wandte sich Papa an den Kellner und sagte: »Giovanni, noch ein Bier, damit wir sie wieder hochbringen.« Bei diesen Worten richtete sich die Großmutter auf und schrie ihm, weiß vor Zorn, ins Gesicht, daß sie ihre Tochter lieber tot sähe, als sie ihm zur Frau zu geben.

Diese erbitterte Abneigung ließ nie nach, nicht einmal als mein Vater sie, meiner Mutter zuliebe, im Alter bei uns aufnahm, wo sie schließlich ihr schändliches Zerstörungswerk gegenüber der Schwächsten zu Ende führte.

Doch die Großmutter Quarantotto war nicht die einzige, die eine Heirat meiner Eltern zu verhindern suchte. Auch die Großmutter Madieri kämpfte erbittert dagegen. Sie hatte sich als zukünftige Schwiegertochter eine reiche, anscheinend sogar sehr hübsche ungarische Erbin ausgesucht, die jedoch einen gravierenden Sprachfehler hatte. Mein Vater sagte, sie habe ein silbernes Gaumenzäpfchen. Ich habe nie begriffen, was er damit meinte. Tatsache ist jedoch, daß Papa sie nicht mochte. Es zeichnete sich ein noch viel furchteinflößenderer Zusammenstoß ab. Großmutter Madieri schwor, daß sie niemals der Hochzeit mit meiner Mutter zustimmen werde, und drohte mit einem Skandal bis in die Kirche hinein. So waren die Verlobten gezwungen, zu einer List zu greifen, um den Repressalien der beiden durch die sich überkreuzende Abneigung ein einziges Mal miteinander verbundenen Schwiegermütter zu entgehen. Danach verabscheuten sie sich wieder gegenseitig und verkehrten nie miteinander.

In jedem gegebenen und empfangenen Wort, in jeder Geste und jedem Gedanken, in jedem noch so kleinen und zufälligen Fragment unserer und jeder Existenz liegt etwas Vorläufiges und etwas Unabwendbares, etwas Vergängliches und etwas Unzerstörbares.

Wenn wir im Sommer an der Kirche von Villa del Nevoso, heute Ilirska Bistrica, vorbeifahren, die auf einem kleinen Hügel direkt am Beginn des nach Sviščaki führenden Anstiegs liegt, kommt es mir vor, als ob die Zipfel der Zeit einander berührten, als ob ihre Umhüllung transparent würde. Meine Eltern heiraten noch einmal dort oben, die Mama geht mit ihrem flatternden weißen Schleier wieder zwischen den Gräbern des um die Kirche liegenden Friedhofs, der Augustmorgen ist wie immer lau und heiter.

In dieser Kirche haben Mama und Papa heimlich ihre Hochzeit gefeiert, in aller Herrgottsfrühe und nur im Beisein der Trauzeugen. Aus Angst vor den jeweiligen Müttern hatten sie in einer Kirche in Fiume das Aufgebot bestellt und die Trauung festgesetzt, dann aber heimlich eine Dispens eingeholt, um in Villa del Nevoso zu heiraten. Niemand wurde darüber informiert, nicht einmal die nächsten Verwandten.

Trotz dieses romantischen Beginns erfuhr meine Mutter in ihrer Ehe mehr Leiden als Freuden. Sie tauschte die mütterliche Tyrannei gegen die der Schwiegermutter, mit der sie nach meiner Geburt zwei Jahre lang zusammenleben mußte. Der Papa, der seine Mutter vergötterte, hatte kein Verständnis für das Leid seiner jungen, schwachen Frau, die sich von Natur aus immer dem Stärkeren unterwarf. Und später war er ihr noch nicht einmal treu, obwohl er sie innig liebte. Ich ahnte den Grund für die heimlichen Tränen der Mama, die schweigend litt und nicht wagte aufzubegehren, und beschloß bei mir: »Ich werde einmal nicht weinen.« Auch verzieh ich es meinem Vater nicht, daß er zu anderen Frauen ging, wo er doch die schönste und liebste von allen geheiratet hatte.

Für ihre Töchter erhoffte sich meine Mutter ein anderes Leben. Sie ermahnte uns immer, zu lernen und uns eine unabhängige Position zu schaffen. Ihr, ihrer Beharrlichkeit allen Schwierigkeiten zum Trotz, verdanken wir es, daß wir beide die Möglichkeit hatten, eine höhere Schule zu besuchen und sowohl im Beruf als auch in allen anderen Lebenslagen unsere eigene Wahl zu treffen.

Heute waren wir in Cherso und haben für den Sommer die Zimmer vom Vorjahr, nur zwei Schritte vom Strand entfernt, wieder gebucht.

Der zarte Widerschein des Meeres und die nach Algen duftende Luft waren voller neuer Versprechen. Der Rosmarin blühte schon. Miholašćica, Juli 1981; das Hohelied 7,12.

Die Tage der Aktion Fiume – die Stadt war im September 1919 von den Legionären Gabriele D'Annunzios besetzt worden – waren vielleicht die aufregendste Zeit im Leben der damals noch jungen Großmutter Quarantotto gewesen, die im aufgeheizten Klima der Nachkriegszeit begonnen hatte, sich aktiv für Politik zu interessieren und für die Italianità ihrer Stadt zu kämpfen. Während der Carnaro-Regierung, die fünfzehn Monate dauerte, wurde das kurz zuvor eröffnete Lloyd zu dem Lokal, in das die Legionäre gingen, um praktisch umsonst zu essen. Auf diese Weise fingen sofort die ersten wirtschaftlichen Schwierigkeiten des Gasthauses an, das dann Jahre später, trotz einer großen und anhänglichen Kundschaft, pleite ging. Aber die Großmutter bedauerte diese Zeit nie, sondern bewahrte in ihrem Herzen die strahlende Erinnerung an den »Dichter-Soldaten«, der ihr, wie es scheint, als Dank für ihre Verdienste eine Medaille verliehen hat.

Nicht einmal die bitteren Erfahrungen des Exils und des Flüchtlingslagers von Triest, viele Jahre später, ließen sie verzagen, vielmehr gelang es ihr, auch unter diesen armen Menschen eine herausragende Rolle zu spielen. Obwohl sie fast Analphabetin war und sich des Onkels Attilio, Mann ihrer Nichte Elvira, als Sekretär bedienen mußte, nahm sie mit dem Präfekten Palutan, dem Bürgermeister Bartoli und dem Bischof Monsignore Santin Verbindung auf. Sie richtete im Lager Silos eine Kapelle ein und erreichte es, daß dort jeden Sonntag eine Messe gelesen wurde. Bei offiziellen Besuchen war sie diejenige, die zusammen mit dem Direktor Gala die Honoratioren empfing und die Anliegen der Flüchtlinge vortrug. Das hinderte sie jedoch nicht daran, in der den einzelnen Familien zugeteilten »Box«, die sie zuerst mit der Familie von Tante Nina und später mit uns teilte, Töchter, Schwiegersöhne und Enkelkinder mit ihrer Herrschsucht zu schikanieren. Sie verachtete die Tante Nina, als sie unter diesen Gegebenheiten ihr drittes Kind zur Welt brachte, malträtierte ihre Enkelinnen Elsa und Lucina, weil sie nicht gut in der Schule waren, und beschimpfte die beiden Schwiegersöhne, denen es nicht gelang, Arbeit zu finden.

Das Kriegsende und die jugoslawische Besatzung bedeuteten für meine Familie eine erste Zeit der Ängste, des Mißtrauens, der Hausdurchsuchungen. Die OZNA, die gefürchtete Geheimpolizei, deren bloßer Name meine Eltern erbleichen ließ, kam eines Morgens in unsere Wohnung und fragte im Befehlston, ob wir Waffen besäßen, die abzuliefern seien. Als meine Mutter, von Panik ergriffen, verneinte, fragte ich sie vor den Agenten überrascht, ob sie denn die Pistole vergessen habe, die der Papa unter der Matratze versteckt hatte. Die berüchtigte Unmenschlichkeit der OZNA-Mitglieder milderte sich glücklicherweise an diesem Tag, angesichts der verzweifelten Tränen meiner sich auf die Knie werfenden Mutter und dem ahnungslosen Vertrauen eines kleinen Mädchens, das in den Männern keine Feinde sah. Die Pistole wurde zwar beschlagnahmt, aber sonst passierte uns nichts.

Ziemlich bald folgte eine Periode relativer Ruhe. Mein Vater, der im Mai 1945 von seinem Posten als stellvertretender Direktor des Landwirtschaftlichen Verbands der Provinz Fiume entlassen worden war, fand bald darauf, wahrscheinlich dank seiner Serbokroatisch-Kenntnisse, eine Stelle als Buchhalter in irgendeinem Büro. Damit war meine Mutter nun nicht mehr gezwungen, nur Trockenerbsen zu kochen beziehungsweise in aller Frühe das Haus zu verlassen und endlos Schlange zu stehen, um auf dem Schwarzmarkt ein paar Eier und ein bißchen Milch zu ergattern. Ich schloß bald Freundschaft mit den slawischen Kindern, die in unsere Nachbarschaft zogen, an die Stelle der italienischen Familien, die anfingen, in großer Zahl Fiume zu verlassen, und ich verstand nicht den Schmerz und den stummen Groll meiner Eltern, die sich nicht damit abfinden konnten, ihre Stadt durch neue Gebräuche und neue Gesichter entstellt zu sehen, durch Volkstänze, wie den Kolo, die auf den

Plätzen und den Quais getanzt wurden, und durch den großen Zuzug von Serben, Kroaten, Mazedoniern, Bosniaken und Dalmatinern. *Zingani*, Zigeuner, nannten sie meine Eltern, sei es wegen der malerischen Kleidung und der dunklen Hautfarbe von einigen, sei es wegen eines gewissen ausgelassenen und lauten Benehmens, zu dem sich noch die Arroganz des Siegers gesellte.

In den drei folgenden Jahren hatte ich das Gefühl, das Leben sei heiterer geworden, ohne das Rennen in die Luftschutzkeller, die Lebensmittelknappheit und die sonstigen Entbehrungen der Kriegszeit, durch die ich mir eine Lungeninfiltration zugezogen hatte, die dann vom jugoslawischen Gesundheitsdienst in einer Heilstätte in der Nähe von Ljubljana hervorragend behandelt wurde. Außerdem konnte sich meine Mutter mit ihren beiden Mädchen zum erstenmal Sommerferien auf der Insel Arbe leisten.

Auf Arbe wohnte ein Stiefbruder des Großvaters Antonio, der Onkel Costante, dessen Neffe Jure sich erbot, uns in seinem Haus unterzubringen. Dieser Onkel Jure war ein junger Schmied, der seine Werkstatt im Hof hatte, wo er auch zwei wunderschöne schwarze Hunde hielt. Es war Juli, und der Onkel arbeitete mit nacktem Oberkörper. Manchmal, beim Heimkommen, betrachtete ich lange seine braungebrannte, wie gemeißelte Gestalt und die beiden heraldischen Hunde. Es machte mir Freude, in seinem schmucklosen und für eine einzelne Person etwas zu großen Haus aufzuräumen, und ich war glücklich, wenn er mich bat, ihm ein italienisches Lied beizubringen. Ich hatte von Großvater Antonio eine schöne Romanze gelernt, die von einer Schwalbe und ihrem Jungen erzählt, das nicht mehr in sein Nest zurückkehrt. Der Onkel studierte das Lied fleißig und versprach, mich zur Belohnung mit auf sein Segelboot zu nehmen. Eines Tages, als ich durch den kleinen Hafen der Insel streifte, erkannte ich sein weißes Segel, das kreuz und quer auf dem windgekräuselten Meer fuhr. Ich wartete lange, bis es ans Ufer zurückkehrte, und dachte an das Versprechen. Doch von seinem Boot stieg, anmutig lächelnd, auch ein hübsches Mädchen, dem der Onkel zuvorkommend beim Aussteigen behilflich war. Bei ihrem Anblick versteckte ich mich, mit leer gewordenem Herzen und einem dunklen Gefühl von Beraubung.

Ansonsten waren die Tage auf Arbe reine Glückseligkeit. Die engen Gassen des Dorfes, die glattgeschliffenen Steine am Strand, der Pinienwald, der sich bis zum Meer hin erstreckte, der Harzduft, die Musik im Kaffeehaus an den lauen Abenden und das schöne entspannte Gesicht meiner jungen Mama ließen mich zum erstenmal begreifen, daß es ein Anderswo gab, ein neues Paradies, das verlorengehen konnte.

Die Zugreise von Florenz dauert lang. Viel Zeit habe ich gestern damit verbracht, meinen Blick und meine Gedanken durch das Fenster schweifen lassen. Dann, angesichts einer plötzlichen, schmerzhaften Verdickung im Gewebe meiner Jahre, habe ich den Kopf angelehnt und die Augen geschlossen in einem Wunsch nach Flucht, nach Dunkelheit, nach Schoß.

Ich habe das Gesicht in der Nacht gespiegelt, und im fragilen Sommer meiner Züge sah ich die Buchten und Erhebungen der Insel Alkinoos reflektiert, ich durchlief die hellen Täler der Jugend, folgte den Pfaden der Zeit, der Erinnerung und des Vergessens.

Zweimal pro Woche kommt Valeria für den Nachmittag zu uns in die Wohnung, um ein wenig Zeit mit ihren Vettern zu verbringen. Valeria sind die Freuden und die Unbekümmertheit der Kindheit versagt. Alle Fragen nach einem Warum bleiben ohne Antwort. Die verheerende Krankheit, die sie vor einigen Jahren befiel, hat sie auf bittere Weise gezeichnet. Trotzdem ist ihre Beziehung zu Francesco und Paolo unverändert, und die beiden spielen und scherzen mit ihr wie eh und je, ganz natürlich und ungezwungen.

Danke, Valeria, für deine Würde im Leiden, für deine stille und gedemütigte Intelligenz, die keinen Augenblick aufgehört hat zu begreifen, für all die Liebe, die du uns im Übermaß schenkst. Um wieviel ärmer wäre doch unser Leben ohne deine freundliche Anmut, ohne dein zartes Gesichtchen und ohne deinen sanften und melancholischen Blick voller Tiefe. Mit zehn Jahren bist du bereits eine kleine große Frau.

Es gibt Tage, an denen ich gern zurückblicke, und andere, an denen die Vergangenheit trüb und verschwommen wird. Die nebensächlichen Interessen drängen sich in den Vordergrund. Plötzlich aber enthüllt der verborgene Faden der Zeit, der unser Leben webt, seine hartnäckige Kontinuität. Ein Riß mitten durchs Herz, eine heftige Erregung, und alles ist wieder gegenwärtig.

Zwischen 1947 und 1948 wurden alle in Fiume gebliebenen Italiener zur »Option« aufgefordert, das heißt, sie mußten sich entscheiden, ob sie die jugoslawische Staatsbürgerschaft annehmen oder das Land verlassen wollten. Meine Familie optierte für Italien und erlebte damit ein Jahr der Ausgrenzung und Verfolgung. Wir wurden aus unserer Wohnung geworfen und mußten mit all unseren aufgestapelten Sachen in einem Zimmer leben. Die Möbel waren im Hinblick auf die Aussiedlung fast alle verkauft worden. Papa verlor seine Stelle, und kurz vor unserer Abreise kam er auch noch ins Gefängnis, weil er zwei Koffer eines politisch Verfolgten versteckte, der versuchen wollte, illegal über die Grenze zu kommen, und der, als er gefaßt wurde, unseren Namen genannt hatte. In seiner üblichen Naivität ließ sich mein Vater natürlich in flagranti erwischen.

Diese Monate eines Lebens in Ungewißheit und Vorläufigkeit, nicht mehr zu Hause und noch nicht ganz woanders, wurden von mir wie etwas Unwirkliches erlebt und ohne daß ich darunter besonders gelitten hätte. Ich spielte mit meiner Schwester auf dem Gehsteig vor unserem neuen Haus, entweder »Himmel und Hölle« oder mit dem Ball oder Springseil, schloß Freundschaft mit sämtlichen Katzen des Viertels, die ich alle kannte, besuchte den Großvater im Café Sport und meine alten Freunde in unserem richtigen Haus, und zum erstenmal machte ich mich allein auf den Weg, um eine Stadt zu erkunden, die ich bis dahin kaum gekannt hatte. Ich war größer und vernünftiger geworden. Und auf diese Weise habe ich mein Fiume im Gedächtnis behalten: seine breiten Molen, die Wallfahrtskirche von Tersatto oben auf dem Hügel, das Verdi-Theater, das Zentrum mit seinen wuchtigen Bauten und Cantrida; eine Stadt, vertraut und zugleich fremd, die ich, kaum daß ich sie ein wenig kennengelernt hatte, verlieren sollte. Trotzdem haben diese schüchternen, kurzen Annäherungsversuche, geprägt von Nähe und Ferne, in mir einen unauslöschlichen Eindruck hinterlassen. Ich bin noch dieser Wind auf den Molen, dieses Halbdunkel der Straßen, diese leicht fauligen Gerüche vom Meer und diese grauen Gebäude. Viele Jahre lang habe ich nach der Aussiedlung meine Stadt nicht mehr gesehen und sie fast vergessen, doch als ich wieder die Gelegenheit bekam, durch Fiume und den Küstenabschnitt entlang zu fahren, der nach Brestova führt, wo wir für gewöhnlich die Fähre nach Cherso und Lussino nehmen, hatte ich die deutliche Empfindung, ins Eigentliche zurückzukehren. Und doch erinnerte ich mich, wenigstens mit Bewußtsein, an nichts mehr von Icici, Mucici, Laurana, Moschiena und weiß nur noch wenig von Abbazia und selbst von Fiume. In Wirklichkeit war ich es selbst, die sich fand, als ich wie in einem Spiegel diese zwischen Herbheit und Lieblichkeit wechselnde Landschaft betrachtete. »Ich wandte mich um und sah mein Lächeln auf seinen Lippen«, wie Riobaldo, der Protagonist des *Grande Sertão,* als er unvermittelt Diadorim in einer Erscheinung liebender Identifikation wahrnimmt.

Im Sommer 1949, nachdem wir das Visum zur Ausbürgerung erhalten hatten und nach einem kurzen Besuch bei Papa im Gefängnis, fuhren wir aus Fiume weg – meine Mutter, meine Schwester, ich und die inzwischen sehr alte und krebskranke Großmutter Madieri.

Heute bin ich sehr unzufrieden mit mir und wünschte, ich könnte weit weg von mir sein. Ich habe mich meinen Kindern gegenüber falsch verhalten und sie mit einem Ausbruch von Ungeduld und aggressiver Dummheit vor den Kopf gestoßen. Manchmal weht der Wind der Gnade so fern von uns, daß er uns auch gegenüber den Menschen, die wir am meisten lieben, böse und verstockt macht.

Ich habe meine Beschämung nicht verborgen, und mir wurde bereits verziehen. Den Kindern gelingt es oft, viel verständnisvoller und reifer zu sein als ihre Eltern.

Manchmal fühle ich mich in meiner Mutterrolle unbehaglich, habe das Gefühl, dafür ungeeignet zu sein, nur halbherzig zu erziehen, wenig zu sprechen und mir diese kostbaren Jahre und Tage des Zusammenlebens mit meinen nun schon so großen Jungen ungenutzt entfliehen zu lassen. Ich sehe die beiden an, finde sie schön und liebenswert und stelle mir die Leere vor, die sie hinterlassen werden, wenn sie einmal weggehen. Ich sehe sie an, und sie kommen mir noch schutzlos vor, und ich würde gern die Bürde an Leid, die das Leben für sie, wie für alle, bereit hält, auf mich nehmen. Irgendwie fühle ich mich für ihr Glück verantwortlich, und ich frage mich, ob sie die notwendigen Waffen und Werkzeuge mitbekommen haben, um bewußt ihre jeweilige Wahl zu treffen, um gerüstet zu sein für die Prüfungen, um stark zu sein in den Enttäuschungen, großzügig in den Erfolgen, um im Eigentlichen zu leben und zu lieben.

Mein erster Eindruck bei unserer Ankunft in Triest, wohin uns die Großeltern Quarantotto, Tante Teresa und Tante Nina mit Familie schon ein paar Monate früher vorausgefahren waren, war der, in ein irdisches Paradies gekommen zu sein, in ein gelobtes Land. Der Verkehr auf den Straßen, das Weißbrot, die Menge an Zeitungen, Zeitschriften und Comic-Heftchen an den Kiosken, die Warenfülle in den Läden und die Art der Leute, sich zu kleiden, erschienen mir wie der Ausdruck eines märchenhaften Reichtums. Auch über die Präsenz der englischen und amerikanischen Soldaten, deren Stiefel auf Hochglanz poliert waren und die, wie ich oft sah, Kindern Kaugummis anboten, konnte ich mich nie genug wundern. Tatsächlich befand sich die Stadt in der Zone A des Freistaats Triest, den die Großmächte in einer schwierigen Nachkriegszeit gebildet und in zwei Teile geteilt hatten. Die Zone A unterstand der anglo-amerikanischen Verwaltung, die Zone B der jugoslawischen.

Wir wurden sofort als Flüchtlinge anerkannt und in das Sammellager Silos geschickt, wo auch Tante Nina mit ihrer Familie und den Großeltern bereits wohnte. Unsere Habe – ein paar Decken, ein Tisch und einige Stühle, die Matratzen, die nicht verkauft worden waren, und die Kisten mit der Wäsche, Papas Büchern und unseren Kleidern – sollte erst einige Zeit später nachkommen. Im Moment besaßen wir buchstäblich nur das, was wir am Leib trugen. Onkel Alberto und Onkel Vittorio kamen am nächsten Tag aus Venedig beziehungsweise aus Como und beschlossen, die beiden Nichten mitzunehmen. Meine Schwester reiste mit Onkel Vittorio und ich mit Onkel Alberto.

Wenn das Leben eines jeden aus langen, dem Anschein nach ereignislosen Phasen besteht, zwischen denen sich plötzliche und erschütternde Einschnitte auftun, so endete meine erste

Lebensphase gewaltsam an diesem Sommertag, an dem meine Familie auseinandergerissen wurde. Das aus Fiume aufgebrochene Kind war, als es nach Venedig kam, kein Kind mehr.

Der Sommer ist vorbei. Mexiko, Cherso, der Nevoso und die Insel Elba liegen hinter uns. Für meine Söhne und meine Nichte Elisabetta beginnt am nächsten Mittwoch die Schule, und zum erstenmal werden alle drei in der Oberstufe sein.

Gestern, als ich mit Paolo ein bißchen Griechisch gelernt habe, bemerkte ich, daß ich den Spiritus lenis nicht genau vom Spiritus asper unterschied, und im Spiegel des alten Schwimmbads »Lanterna« in der Nähe des Hafens habe ich einige weiße Fäden an meinen Schläfen entdeckt. Meine Lebenszeit verzehrt sich in der Erfüllung.

Der laue und windige Tag führt mich ins Arbeitszimmer, in dem ich schreibe; von draußen gedämpfte, melancholische Geräusche. Ich mag das Zur-Neige-Gehen des Jahres nicht, das zu rasche Verstreichen der Jahreszeiten. Ich möchte eine Zeit, die nicht vergeht, die Stunde der »Persuasion«, denn ich weiß, daß mich nichts Schöneres erwartet als die Gegenwart, die ich lebe.

Oft bin ich beunruhigt beim Gedanken an die wandelbare Zukunft, die alles aufnimmt und verändert, verschleißt und potenziert, zerlegt und zu neuen Formen zusammenfügt, wie ein Kaleidoskop. An einem Abend auf Elba habe ich mich im Haus von Freunden, bei denen wir zusammen mit Beppino, Barbara und den kleinen Mädchen zum Essen eingeladen waren, plötzlich dabei ertappt, daß ich, während ich die Portionen auf die Teller verteilte, wie Mrs. Ramsay an unsere sich kreuzenden und unvorhersehbaren Schicksale dachte, die miteinander verbunden sind durch Freundschaft und Zuneigung und dennoch zwangsläufig verschieden verlaufen. Ich sah Irenes leidenschaftlichen Blick, Angelas aufrichtiges Lächeln, Barbaras strahlendes Gesicht, den ernsten Ausdruck Beppinos, die leuchtenden Augen Francescos und die verschmitzten Paolos. Claudios Gesicht bewegte sich glühend im Schatten. Wohin wird die harmonische Eintracht dieser Stunde einmal entflohen sein?

Am Lido nahmen mich Onkel und Tante großherzig in ihrem möblierten Zimmer auf, in dem sie bereits zu dritt schliefen, und richteten noch eine provisorische Schlafstelle unterm Fenster ein. Tante Ada, die ihr anfängliches Mißtrauen gegenüber der unruhigen und ungezogenen Nichte überwunden hatte, kaufte mir als erstes ein Paar Schuhe und nähte mir zwei bunte Luftanzüge, die mir sehr gefielen. Nach ein paar Wochen entdeckte sie, daß ich Läuse hatte, und ich war gezwungen, meine schönen braunen Zöpfe zu opfern. Mein Kopf wurde mit Petrolium eingeschmiert, und zwei lange Tage mußte ich im Haus bleiben, übelriechend und gedemütigt.

Ich hatte Onkel und Tante und auch meine dreijährige Kusine Nadia sehr gern, aber oft, wenn ich mich im Bad einschloß oder abends im Bett, unter den Laken, dachte ich an meine Mama, die allein war und fern. Ich wurde wortkarg und verletzbar. Bei der geringsten Rüge kamen mir die Tränen, die ich gleich hinunterschluckte; stundenlang sonderte ich mich mit einer Kinderzeitschrift ab und tat so, als würde ich lesen, und dabei schien mir, als ob die Zeit ganz langsam dahinflösse, wie ein schlammiger Fluß, ohne Raum für Freude, Fröhlichkeit und Phantasie.

Ziemlich bald schon erreichte mich die Nachricht, daß die Großmutter Madieri gestorben war, in ihrem quälenden Todeskampf liebevoll betreut von meiner Mutter, und daß meine Schwester nach Triest zurückgekehrt war, weil sie sich angeblich nicht daran hatte gewöhnen können, fern von den Eltern zu leben. In Wirklichkeit war Onkel Vittorios Frau, Tante Nerina, mit ihr nicht so geduldig und großzügig gewesen wie Tante Ada mit mir und hatte bei verschiedenen Anlässen ihren Verdruß darüber geäußert, sich um eine Nichte kümmern zu müssen, die ihr fremd war und für die sie keine besondere Zuneigung empfand. Sie warf ihr vor, schmutzig zu sein und mit sieben Jahren noch nicht einmal die kleinste Hausarbeit wie Geschirrspülen oder Abtrocknen übernehmen zu können. Tante Nerina, die nur einen Sohn hatte, meinen Vetter Roberto, war in ihrer Jugend reich, hübsch und verwöhnt gewesen und hatte unsere Familie immer als die armen Verwandten angesehen. Selbst im Exil hatte sie mehr Glück als wir und konnte sich bald wieder eine komfortable Wohnung einrichten und einen gewissen Wohlstand genießen, dank der manchmal ein wenig schrägen Wirtschaftsunternehmungen des Onkels Vittorio, den wir als *trapoler*, als Gauner, bezeichneten.

Auch Großvater Antonio, der nach dem Weggang meiner Schwester zu seinem Sohn nach Como zog, starb wenig später.

Der Sommer am Lido verstrich träge. Die ruhige Schönheit des sandigen Meeres, das milde Lagunenlicht und die grünen, blumengesäumten Sträßchen verschärften meine Einsamkeit. Alles war so anders als die Umrisse und die intensiven Farben meiner Heimat und meines Meeres.

Im Zimmer von Onkel und Tante versuchte ich so wenig Platz wie möglich einzunehmen. Um mich nicht bemerkbar zu machen, fast um nicht zu existieren, sprach ich wenig und wagte nicht einmal, die Gegenstände um mich herum, die mir nicht gehörten und die ich als stumm und fremd empfand, zu berühren. Die Familie der Hausbesitzer war zahlreich und freundlich. Da gab es die magere Cesarina, die zu ihrem großen Leidwesen noch unverheiratet war, den Großvater Egisto, Besitzer einer der letzten Kutschen auf der Insel, und die Familie von Cesarinas älterer Schwester, Inhaberin einer Bäckerei, die später ein zweites Kind bekam, das an Phokomelie litt.

Als der Herbst näher kam, stellte sich für mich das Schulproblem. Um in die italienische Mittelschule zu kommen, mußte man eine Aufnahmeprüfung gemacht haben, die in Fiume nicht vorgesehen war. Der Onkel ging zu den Nonnen des Istituto Campostrini, die ein Mädchenpensionat und eine anerkannte private Mittelschule leiteten, welche von internen wie externen Schülerinnen besucht werden konnte. Die Schwestern waren damit einverstanden, daß ich die Prüfung im September nachholte, und der Onkel machte sich persönlich ans Werk, mich darauf vorzubereiten. Meine Kenntnisse in Geschichte, italienischer Grammatik und vor allem in Geometrie erwiesen sich als so gering, daß man zum Schluß noch einen Privatlehrer engagieren mußte. Ich bestand das Examen, nicht zuletzt, weil die Schwestern ein Auge zudrückten und im übrigen, auf Bitte des Onkels und nachdem man die Meinung meiner Mutter eingeholt hatte, bereit waren, mich in ihr Internat aufzunehmen. Die monatlichen Kosten dafür, die die Schwestern, um mir entgegenzukommen, beträchtlich reduziert hatten, übernahm die »Postbellica«, eine seltsame Behörde, von der ich meine ganze Jugend hindurch reden hörte.

Zwei Tage vor Beginn des Schuljahrs brachte mich der Onkel zum Campostrini-Institut, mit meinem kleinen Gepäck, bestehend aus drei neuen, von Tante Ada geschneiderten Winterkleidern – den einzigen, mehrmals länger und weiter gemachten in diesen drei Internatsjahren –, ein paar Wäschestücken, dem alten Mantel, den ich in Fiume hatte, und den Briefen von Mama. In der Tasche hatte ich auch noch die fünfhundert Lire, die mir Onkel Vittorio am Tag unseres Treffens in Triest geschenkt hatte und die ich nie ausgeben, sondern wie einen Schatz hüten wollte. Ich hatte mein einziges Paar Schuhe an, dessen Sohlen schon bald durchgelaufen waren und zwei große Löcher aufwiesen, die man sehen konnte, wenn ich mich sonntags an der Kommunionbank niederkniete. Obwohl ich mich anstrengte, auch in dieser Position die Fußsohlen auf dem Boden zu halten, spürte ich, daß diese Löcher schrecklich sichtbar waren, und wurde rot vor Hilflosigkeit, denn Onkel und Tante wagte ich nicht zu fragen, und Mama konnte ich nicht bitten, mir ein neues Paar Schuhe zu kaufen.

Der Sankt-Nikolaus-Tag ist stillschweigend vorbeigegangen. Die Kinder sind groß, und das ehemals so erwartete Fest wurde mit einem einfachen Zuschuß für irgendeine besondere Anschaffung abgetan. Nur für Valeria brachte der Nikolaus ein richtiges Geschenk, das ihr schönes kleines Gesicht für einen Augenblick erhellt hat.

Auch in Fiume war dieser Tag für die Kinder wichtiger als Weihnachten oder Dreikönig. Die ganze Familie – Großeltern, Onkel, Tanten, Vettern und Kusinen jeden Alters – versammelte sich zu diesem Anlaß bei uns zu Hause und wartete, in einer von der Dämmerung verzauberten Atmosphäre, auf die große Erscheinung des Heiligen, der den braven Kindern Geschenke und den bösen Kohle brachte und der eigentlich Onkel Alberto war, als Bischof verkleidet, mit einem langen roten Gewand, der Mitra, dem Bischofsstab und einem weißen Bart, der ihn unkenntlich machte. Mein Vater bekam immer ein paar Stückchen Kohle.

Dieses Jahr habe ich nicht mehr mit bangem Herzen an den 6. Dezember vor vier Jahren gedacht, als ich an einem Regenabend in Mailand zwischen den erleuchteten Ständen auf der Piazza del Duomo herumlief. Ich sah mir die Menschen und die Lichter an und dachte an anderes, denn ich beendete gerade den Zyklus der Kobaltbestrahlungen nach einer Brustoperation. Die große Angst war weg, doch es blieb das schmerzliche Gefühl von Leere nach einer tapfer durchgestandenen Erfahrung und die Sorge um die Zukunft. Die lastende, dumpfe Einsamkeit dieser Monate klebte an mir wie ein nasses Kleid. Der dünne, beharrliche Regen vermischte sich mit dem von den Autos aufgewirbelten schlammigen Staub, und mir schien es, als sei ich eingetaucht in eine graue Lagune der Melancholie.

Paris war eine kurze, vergnügte Ferienzeit, bestehend aus kalten und weißen Sonnentagen, aus bezaubernden Orten und viel gemeinsamer Fröhlichkeit.

Ich lebe, so wie ich mir immer gewünscht habe, leben zu können: die Liebe und das gemeinsame Leben, die Kinder, das Heim und viel Zuneigung innerhalb und außerhalb des Hauses. Was macht es da schon aus, daß ich viel aushalten mußte, daß die Krankheit gekommen und wieder gegangen ist, daß ein paar Wolken meinen heiteren Horizont getrübt haben, daß die Jahre so schnell vergehen. Der grüne Urucuia fließt in großen Schleifen und tiefen Wassern zu Tal und spiegelt die Farben der Morgenröte und die Schatten des Abends.

Der Einstieg in die Mittelstufe war für mich eine äußerst
harte Erfahrung. Ich hatte so viele Wissenslücken und ständig
zu kämpfen mit einer Mischung aus eigenbrötlerischer Scheu
und starrköpfigem Stolz. Verbissen fing ich zu lernen an, und
in kurzer Zeit avancierte ich zur vielversprechendsten Schülerin der Klasse. Schwester Lidia war meine freundliche Ma-
thematiklehrerin, und in Latein hatten wir die gefürchtete
Signorina Messe. Letztere war ein blühendes, frisch von der
Uni kommendes junges Mädchen, das ich bereits für eine
alte Jungfer hielt. In meiner Erinnerung sehe ich sie vor mir,
groß wie ein Berg, mit einer Aureole aus krausem Haar und
einem Gesicht mit ausgeprägten Zügen und auffallend vielen
Pickeln. Sie ließ mich soviel logische Analyse und soviel Latein lernen, daß ich praktisch die ganze Gymnasialzeit davon
zehrte.

Mit den anderen Zöglingen hatte ich wenig Kontakt und
schloß mich lediglich zwei Mädchen, die auch meine Klassenkameradinnen waren, ein wenig an: Susanna und Luisa mit dem
schönen heraldischen Nachnamen Ancillotto. Susanna, die aus
einer sehr einfachen Familie kam und schon mehrere Internate
hinter sich hatte, mochte mich zwar gern, war aber argwöhnisch
und besitzergreifend und hatte die manchmal etwas schrille
Schroffheit derer, die wenig bekommen haben; Luisa dagegen,
der das Dienstmädchen jeden Sonntag aus Venedig leckere
Dinge zum Essen und gewaschene, tadellos gebügelte Wäsche
brachte, war ein träges und verschlagenes Mädchen, widerbor-
stig zu den Schwestern, aber zu mir nett, und nicht selten bot
sie mir von den Keksen und Kuchen an, die sie von zu Hause
bekam. Meine geringe Neigung, mich mit den anderen an-
zufreunden, hing vielleicht auch damit zusammen, daß ich
mich weigerte, die Realität, die ich erlebte, zu akzeptieren. Es

erschien mir unmöglich, daß sich in wenigen Monaten alles in meinem Leben so radikal verändert haben sollte.

Nur zu einer Person faßte ich eine fast krankhafte Zuneigung, zu Schwester Giovanna. Sie war eine junge Novizin, kaum älter als Zwanzig, groß und schlank, und hatte aus ihrer Mädchenzeit den raschen, fast tanzenden Schritt unter dem langen schwarzen Gewand, die etwas fahrigen Gesten und das spontane Lächeln bewahrt. Sie war auch ein bißchen kokett und erzählte uns Zöglingen, daß am Tag, bevor sie ihr Elternhaus verließ, um ins Kloster zu gehen, ein Verehrer um ihre Hand angehalten habe. Ihren weltlichen Namen wollte sie uns nicht verraten, und als wir ihn eines Tages auf einer Urkunde entdeckten, kam es uns vor, als hätten wir ihr ein peinliches Geheimnis entrissen. Schwester Giovanna beaufsichtigte uns bei den Mahlzeiten im Refektorium, während der Freizeit im Garten und morgens und abends im Schlafsaal. Sie begleitete uns auch zu den Gottesdiensten und zum sonntäglichen Rosenkranz. Ich versuchte, ihr bei jeder Gelegenheit nahe zu sein, und klammerte mich an den großen Rosenkranz, den sie um die Hüften gebunden hatte. Auf sie projizierte ich meine Sehnsucht nach einer schützenden Mutterfigur, auch wenn ihre Jugend sie eher für die Rolle einer großen Schwester geeignet machte.

Zwanzig Jahre später, als ich bereits verheiratet war und Kinder hatte, sah ich sie wieder, und als erstes zeigte sie mir voll Stolz das Kreuz, das auf der Brust hing zum Zeichen, daß sie die Gelübde abgelegt hatte. Ihr Gesicht war hagerer geworden, gleichsam geschrumpft wie eine welke Blume, und auf ihrem Kinn sprossen ein paar borstige, sterile schwarze Haare. Doch ihr Lächeln war noch immer das alte. Verlegen küßte ich das Kreuz, das sie mir hinstreckte.

Kurz nach Beginn des Schuljahrs zogen Onkel und Tante in eine schöne neue Wohnung direkt gegenüber dem Istituto Campostrini, in einem von der Sidarma erbauten Häuserkomplex, einer Gesellschaft, bei welcher der Onkel eine Stelle gefunden hatte.

Am Sonntag, wenn die Zöglinge in Begleitung der Eltern oder anderer autorisierter Personen das Institut verlassen durften, holten mich meine Verwandten nach der Messe ab, und ich verbrachte den restlichen Vormittag und den Nachmittag bis fünf Uhr mit ihnen. Onkel Alberto drehte mit mir eine kleine Runde auf der Hauptstraße des Lido, wobei er stets an der Konditorei Colussi haltmachte, um mir eine Sahnemeringe zu spendieren, und Tante Ada kochte mir zum Mittagessen meine Leibspeise: Nudelauflauf mit Béchamelsauce. Es war die einzige Mahlzeit, die ich mit Genuß zu mir nahm. Für den Rest der Woche, im Internat, saß ich lustlos vor den Gerichten und tat manchmal nur so, als würde ich essen. Ich weiß nicht genau, ob es daran lag, daß das Essen nicht gut war, oder daß es mich einfach nicht interessierte. Anfangs verspürte ich unter Tags Hunger, aber schon bald verlor ich jeglichen Appetit, vielleicht weil meine körperliche Verfassung schlechter wurde. Ich hatte fast ständig leichtes Fieber, wodurch ich mich dauernd erschöpft fühlte, und immer wieder war ich gezwungen, mit nicht enden wollender Bronchitis und Grippe das Bett zu hüten.

Wenn ich krank war, lag ich den ganzen Tag allein im Schlafsaal, der sich im zweiten Stock befand, und verspürte ein merkwürdiges Gefühl von Fremdheit. Von diesem Raum, den ich mit anderen Mädchen teilte und in den man tagsüber nicht ohne Erlaubnis gehen durfte, kannte ich nur den Aspekt, den er frühmorgens, wenn es draußen noch dunkel war, hatte oder abends, wenn er so schwach beleuchtet war, daß man im Bett nicht lesen konnte. Ich kam mir vor wie in einer anderen Sphäre, wenn gegen elf Uhr die Sonne anfing, durch die angelehnten Läden zu dringen, und auf dem Fußboden Farnblätter aus Licht zeichnete oder eine Klinge aus Staub aufblitzen ließ, die sich wie verrückt vor meinen müden Augen drehte. Mittags brachte mir eine Schwester das Essen, maß mir das Fieber und zog sich schweigend wieder zurück.

Während einer dieser Krankheiten lernte ich die Signora Visintini kennen. Sie kam eines Nachmittags zu mir und fragte mich, ob ich etwas bräuchte. Die ganze Nacht und auch noch morgens hatte sie mich husten hören und war erschrocken über diese Anfälle, die meine vor Schmerz taub gewordene Brust erschütterten. Ich dankte ihr und sagte, daß ich nichts bräuchte. Trotzdem brachte sie mir ein bißchen Honig in warmer Milch und wiederholte ihre Besuche an meinem Krankenbett, in deren Verlauf sie Zuneigung zu mir faßte. Mir erschien sie wie eine gütige Fee. Sie war eine alte Dame mit schlohweißem Haar und trug ziemlich lange schwarze Kleider mit Spitzenkrägen, die zwar ein wenig aus der Mode, aber äußerst elegant waren. Signora Visintini lebte als Pensionsgast in einem Zimmer neben unserem Schlafsaal und ließ sich nie von jemandem sehen. Die Schwestern brachten ihr das Essen aufs Zimmer und ermahnten uns Zöglinge, keinen Krach zu machen, um sie nicht zu stören. Ich wußte daher von ihrer Existenz, hatte aber keine Ahnung, wer sie war und wie sie aussah. Aufgrund meiner Krankheit verließ die Signora also ihr selbstgewähltes Gefängnis, und eines Tages, während meiner Rekonvaleszenz, hüllte sie mich in einen Schal und führte mich in ihr Zimmer. Dort verschlug es mir die Sprache: Ich war in ein Museum oder in eine Votivkapelle eingetreten. Die Wände waren mit Fotografien tapeziert, die Kredenz wirkte wie ein Altar mit Bildern, Blumen und brennenden Kerzen, von einem Sofa aus starrte mich eine Reihe ausgebleichter Puppen aus ihren Glasaugen an, auf dem

Boden lagen ein Flugzeugpropeller und ein großer Stein, überall hingen Fahnen und Wimpel und gab es Konsolen, auf denen sich kleine Gegenstände, Briefe und Bücher stapelten. Signora Visintini ließ mich auf dem Sofa Platz nehmen und fing unter Tränen zu erzählen an. Sie war Mutter von zwei Goldmedaillen-Trägern: Mario und Licio Visintini. Der eine Sohn war bei der Luftwaffe gefallen und der andere bei der Marine. Einer oben am Himmel, sagte sie, und der andere drunten auf dem Meeresgrund. Als sie Witwe geworden war, hatte sie sich zu den Nonnen zurückgezogen und ging praktisch nur einmal im Jahr aus dem Haus, nämlich zu Allerseelen, wenn sie von einer Korvette aufs offene Meer hinausgefahren wurde, um zu Ehren der namenlosen gefallenen Seeleute einen Kranz ins Meer zu werfen. Ansonsten lebte sie ihren Erinnerungen. Ihre Söhne waren wieder bei ihr, und sie unterhielt sich mit ihnen, ordnete ihre Kleider, staubte ihre Schulbücher ab und las ihre Briefe von der Front. Einige las sie mir auch vor.

Vom Gefühl übermannt, fing auch ich an zu weinen. Von diesem Tag an wollte sie, daß ich sie Mamma Visintini nannte.

Das Jahr näherte sich allmählich seinem Ende. In den Weihnachtsferien wäre ich gern nach Triest zu Mama und meiner Schwester gefahren, die ich seit Beginn des Sommers nicht mehr gesehen hatte, doch die noch immer mißliche Unterbringung im Silos legte es nahe, daß ich in Venedig blieb. So verbrachte ich diese Zeit bei meinen Verwandten, in ihrer neuen, von Tante Ada wie ein Schmuckstück gehaltenen Wohnung, in der ich ein Zimmer ganz für mich allein hatte. In meinem weichen, nach Sauberkeit duftenden Bett lag ich geborgen wie in einer warmen Hülle und hörte von draußen das Tuten der im Nebel fahrenden Vaporetti gedämpft und melancholisch zu mir hereindringen. In einem solchen Moment dachte ich an nichts oder träumte vielleicht von den weißen Veilchen, die ich einmal versteckt und wie verzaubert auf einer Dorfwiese im Innern Istriens gefunden hatte, als mich mein Vater mit dem Motorrad mitnahm, oder aber ich hörte wieder die Klänge meines Klaviers, auf dem ich mit sechs Jahren zu spielen begonnen hatte. Meine Lehrerin, die Signorina Fellini, wohnte im fünften Stock unseres Hauses und empfing mich immer in langen raschelnden Morgenröcken. Vor der Stunde drehte sie vor mir den runden Klavierhocker ein paarmal, um ihn höher zu stellen, und während sie mich hochhob, um mich daraufzusetzen, küßte sie mich auf die Haare. Auch meine Eltern spielten ein bißchen Klavier. Die Mama konnte *Il piccolo montanaro* auswendig, und Papa, der immer behauptete, ein erfahrener Pianist zu sein, konnte lediglich die ersten Takte eines Walzers aus der Operette *Die Czardasfürstin*. Er begann seinen Vortrag mit Pathos und hielt dann nonchalant inne, als ob jede weitere Demonstration seines Könnens überflüssig sei. Auch das Klavier war vor unserer Aussiedlung verkauft worden.

An den langen Winternachmittagen dieser Ferien setzte ich

mich, wenn ich gelernt und Aufgaben gemacht hatte, hin, um in Gesellschaft meiner kleinen Kusine zu malen. Meine Zeichenlehrerin, ein bezauberndes altes Fräulein, zierlich, gepudert, die jungfräulichen Haare immer ordentlich unter einem feinen Netz zusammengehalten, behauptete, daß ich Talent hätte, »mahaz« hätte mein Vater gesagt, der sich auch für einen begabten Maler hielt und ein paar Landschaften in Öl gemalt hatte, die noch heute die Wohnzimmerwände in der Via Piccardi zieren und Nonna Ankas ganzer Stolz sind. Das Malen war eine Beschäftigung, die mir Freude machte, vielleicht weil man damit allein war und weil sie es ermöglichte, etwas mit den Händen zu tun und dabei seinen Gedanken nachzuhängen. Im Internat blieb ich manchmal, mit Erlaubnis von Schwester Giovanna, während der Freistunde am Nachmittag im Klassenzimmer, um Hefte mit Prinzessinnen und Blumen vollzumalen und eine Harmonie in den Farben zu suchen.

In ein paar Tagen wird meine Glyzinie aufgehen. Ich habe sie kurz nach Paolos Geburt gepflanzt, und jetzt hat sie ihre Hochform erreicht. Wahrscheinlich wird sie mit Verspätung blühen, weil sie sich am Geländer des Nordbalkons entlangwindet. Ich habe acht kleine Ranken gezählt, die von Tag zu Tag länger und dicker werden.

Der Garten vor unserem Haus in der Via Carpaccio ist schön in dieser Jahreszeit, dank der beharrlichen und verständigen Pflege durch Signor Zacchini. Der kleine Mandelbaum und die Forsythie sind bereits verblüht, doch der Spierstrauch und die Tulpen stehen noch in voller Blüte.

Gestern hat Francesco zwei Amseljungen aufgelesen, die aus dem Nest gefallen waren. Eines hat nicht überlebt, aber das andere, das wir auf den Balkon gesetzt und mit einem Wollfaden am Beinchen festgebunden haben, wird weiter von seinen Eltern gefüttert.

Überall sprießt neues Leben. Zeit für das Meer in Istrien und die Wälder in Slowenien.

Einmal stand ich in der Freizeit allein im Studiersaal, um am Fenster ein Reklamebild der Firma Arrigoni aus einem Kalender abzupausen. Da kam eine alte Schwester herein, suchte irgend etwas auf dem Katheder und behauptete schließlich entnervt, ich hätte Tinte aus einem Fläschchen genommen, das mir nicht gehörte. Angesichts dieser ungerechten Beschuldigung brach ich in Tränen aus und stürzte in den Garten, auf der Suche nach Schwester Giovanna, um ihr den Vorfall zu erzählen. Doch ich konnte nicht sprechen vor lauter Schluchzen, das mich so schüttelte, daß ich fast erstickte. Als ob der Schmerz der ganzen Welt plötzlich auf meine Schultern gefallen sei und all die Tränen, die sich seit langem in meinem Herzen zu kleinen, harten Kristallen verfestigt hatten, mit einemmal geschmolzen und zu einem Fluß geworden seien, der mich mit sich fortriß.

Ich weinte über den Tod der Großeltern, über Papa, der im Gefängnis war, über das Fernsein der Mama, das Exil und das Alleinsein, das Fehlen von Liebkosungen und die Löcher in den Schuhsohlen, ich weinte über die Mühsal des Großwerdens und den Schmerz des Daseins.

Schwester Giovanna war besorgt. Als es mir endlich gelang, mich zu erklären, tröstete sie mich und versicherte, daß es sich bestimmt um ein Mißverständnis handle und daß niemand an meiner Ehrlichkeit zweifle. Sie begriff nicht, daß die Wurzeln meiner Verzweiflung weit zurückreichten.

Als ich an diesem Abend zu Bett ging, hatte ich Fieber. Zu meinem Bedauern kam am nächsten Tag die alte Schwester zu mir, wahrscheinlich von der Mutter Oberin zurechtgewiesen, um sich zu entschuldigen.

Anita, eine Freundin von uns aus Turin, die sich jetzt von ihrem Mann getrennt hat, erzählte uns, daß sie dabei sei, die Orte ihrer Kindheit und Jugend wiederzuentdecken. Sie kehre gern nach Parma, in ihre Heimatstadt, zurück, treffe sich mit ihren Schulkameraden und beschäftige sich mit größerem Interesse als früher mit Familienangelegenheiten.

Wahrscheinlich ist das eine natürliche Phase im Leben eines jeden. Nachdem man aus dem Elternhaus geflohen ist, um sich ein eigenes Leben aufzubauen, zeigt sich in reiferem Alter eine Neigung zur Rückkehr, zur Wiederentdeckung der Ursprünge. »Weit ging ich fort, verließ jene Brust« und vernachlässigte vielleicht meine Eltern ein wenig. Und jetzt, wo sie nicht mehr da sind und die Wohnung in der Via Piccardi wie eine leere Hülle ist, nur noch bewohnt von Erinnerungen, die Nonna Anka getreulich hütet, finde ich meine Wurzeln lebendig und aktiv in meinem Denken und Handeln wieder. Nichts geht je ganz verloren. Lucina wird mit den Jahren unserer Mutter immer ähnlicher und mein Paolo dem Großvater Gigio.

Francesco dagegen gleicht ganz seiner Großmutter Pia, Claudios großartiger Mama, die vor wenigen Tagen achtzig wurde. Wir haben ihr viele Geschenke gebracht und ein großes Fest veranstaltet, indem wir alle nahen Verwandten zum Mittagessen einluden. Sie hat es wirklich verdient. Noch heute ist sie mit ihrer Geradlinigkeit, ihrer Kraft, ihrer Bescheidenheit, ihrem klaren Verstand und ihrer Diskretion die Matriarchin der Familie, zu der alle laufen, um sich Rat und Trost zu holen. »Nano« nennen sie Francesco, Paolo, Valeria und selbst Elisabetta, praktisch das Wort »nonna« mit umgedrehten Silben, wie Francesco es als kleines Kind bei einigen Wörtern gemacht hat.

Am Ende des Schuljahrs konnte ich endlich meine Mutter und meine Schwester wieder in die Arme schließen. Papa war in der Zwischenzeit zwar aus dem Gefängnis entlassen worden und nach Triest gekommen, aber von dort schon bald nach Neapel aufgebrochen, dem Traum vom raschen Geld nachjagend. Er hatte sich von ein paar neapolitanischen Händlern überreden lassen, das wenige, das aus dem Verkauf unserer Möbel erlöst worden war, in ein Schuhgeschäft zu investieren. *»Ohi me meni, ohi me meni«*, seufzte meine Mutter, die genau voraussah, welches Ende unser bißchen Erspartes nehmen würde in den Händen dieser *taliani*, wie in Fiume all die genannt wurden, die isonzoabwärts lebten, vor allem aber die Süditaliener. Leider wurden ihre Vorurteile durch die Tatsachen bestätigt. Im Verlauf eines Jahres machte das Geschäft pleite. Die Neapolitaner verschwanden mit dem Erlös aus einem hinter dem Rücken meines Vaters veranstalteten Sonderverkauf eines großen Postens Schuhe, und Papa wurde als einziger Verantwortlicher gegenüber den Gläubigern zurückgelassen und hatte daraufhin endlose juristische Scherereien. In Triest wurde er von einem Advokaten aus Sacile namens Pirkerhofer verteidigt, den die Großmutter als »Saufbold« betitelte, und tatsächlich hatte er die rote Nase eines robusten Trinkers.

So machte ich meine erste Bekanntschaft mit dem Silos, in dem Tausende von Flüchtlingen aus Istrien, Dalmatien oder wie wir aus Fiume zusammengepfercht hausten. Es war ein riesiges dreistöckiges Gebäude, erbaut unter den Habsburgern als Kornspeicher, mit einer breiten, von einer Rosette gezierten Fassade und zwei langen Seitenflügeln, die eine Art Innenhof bildeten, in dem Scharen von Kindern spielten und die Frauen die Wäsche trockneten. Das Bauwerk in der Nähe des Bahnhofs steht noch heute.

Das Erdgeschoß, der erste und der zweite Stock waren fast völlig dunkel, nur der dritte wurde von großen Oberlichtern auf dem Dach erhellt, die man jedoch nicht öffnen konnte. In jedem Stockwerk war der Raum durch Holzwände in viele kleine Abteilungen gegliedert, die »Boxen« genannt wurden und die sich nahtlos aneinanderreihten wie die Zellen einer Bienenwabe. Zwischen ihnen gab es Haupt- und Nebenstraßen. Die Boxen waren alle numeriert, und einige hatten sogar Namen wie eine Villa. Auch die Straßen hatten Namen zur Orientierung: die Dalmatinerstraße, die Polastraße, der Kapellen- oder der Waschbeckenweg. Die begehrtesten Boxen waren natürlich die in der Nähe eines der wenigen sich nach außen öffnenden Fenster oder die im dritten Stock, die wenigstens vom Dach her Tageslicht bekamen.

Das Betreten des Silos war wie der Eintritt in eine Art dantesker Landschaft, in ein nächtliches und verräuchertes Purgatorium. Aus den Boxen stiegen Küchendünste und jede Menge anderer Düfte auf, die sich zu einem einzigen, intensiven, typischen und nicht zu beschreibenden Geruch vereinten, einem süßlichen und abgestandenen Gemisch aus Suppe, Kohl, Gebratenem, Schweiß und Krankenhaus. Wenn man von draußen aus der Helligkeit kam, war es nicht leicht, sich sofort an das schwache künstliche Licht im Innern zu gewöhnen. Erst nach einer Weile gelang es, die Umrisse der einzelnen Boxen zu erkennen und sich einen Begriff von der komplexen und vielgliedrigen Anordnung des finsteren, aufgeschichteten Dorfes zu machen und von dem unaufhörlichen Kommen und Gehen der Menschen, die sich auf seinen Straßen und an ihren Kreuzungen bewegten. Auch die Geräusche waren vielfältig und verschmolzen zu einem gleichförmigen Rauschen, das hin und wieder übertönt wurde von den schrillen Klängen eines Radios, einer wütenden Stimme, heftigem Husten oder vom Weinen eines Kindes.

Ich fand meine Mutter bekümmert und vernachlässigt und meine Schwester größer geworden und etwas verwildert. Lucina hatte sich an das Leben im Silos gewöhnt und viele Freunde gefunden, mit denen sie mit der sorglosen Anpassungsfähigkeit der Kinder den ganzen Tag vergnügt spielte. Unsere Box gehörte zu den bevorzugten im dritten Stock, direkt unter einem Oberlicht. Sie bestand aus zwei kleinen Räumen, von denen einer als Küche diente und fast völlig vom Tisch und von den Stühlen ausgefüllt war und der andere als gemeinsames Schlafzimmer. Von der Küche war noch ein kleiner Abstellraum abgezwackt worden, in dem das Putzzeug, die Schuhe, Abfälle, leere Flaschen, alte Zeitungen und Zeitschriften Platz hatten. Es gab auch eine Reihe von Eimern und Schüsseln, die bei Regen an verschiedenen Stellen der Box deponiert wurden, um das Wasser, das in kleinen Rinnsalen durch das Dach hereindrang, aufzufangen.

Die Großmutter Quarantotto lebte eine Weile bei Tante Nina, aber noch öfter bei uns, weil die Mama sich ihr am meisten fügte. Zum Mittag- und Abendessen machte sich die ganze Familie auf den Weg, um von der Piazza Libertà aus die Gemeindeküche in der Via Gambini zu erreichen, und oft, wenn sich die Großmutter nicht danach fühlte, diese weite Strecke zu gehen, brachte ihr die Mama das Essen in einem Blechnapf nach Hause.

In diesem Sommer blieb ich nicht lange im Silos. Meine Mutter, die über meine häufigen Unpäßlichkeiten informiert worden war, brachte mich zum Arzt, der zu einer Röntgenuntersuchung riet. Aus ihr ging hervor, daß meine »Lungendrüsen entzündet« waren. Man empfahl mir einen Aufenthalt in einer Ferienkolonie, wo ich gute Luft atmen könnte und besseres Essen bekäme als in der Kantine der Via Gambini.

Mit tieftraurigem Herzen fuhr ich in einer großen Gruppe Kinder, die meisten Flüchtlinge wie ich, nach Locca, in der Nähe von Bezzecca im Trentino. Nach einer ziemlich tristen Anfangsphase gewöhnte ich mich jedoch ein und fühlte mich ganz wohl. Mir gefielen die Spaziergänge in den nach Moos duftenden Wäldern, die Ausflüge zum Gardasee und die Spiele auf den Wiesen.

In diesem Ferienlager befanden sich Jungen und Mädchen in zwei getrennten Gebäuden, aber bei den Spaziergängen und den Spielen vermischten sie sich unter den wachsamen Augen der Aufsichtspersonen.

Vor allem ein Junge zog meine Aufmerksamkeit auf sich. Er hieß Adriano, war ungefähr so alt wie ich und hatte eine helle Haut, strohblonde Haare und himmelblaue Augen. Auf seinen Wangen leuchteten immer zwei rote runde Flecken wie zwei frische reife Äpfel. Adriano nahm überhaupt keine Notiz von mir.

So machte ich mich geduldig ans Werk, um eine Gelegenheit zu finden, mich ihm zu nähern. Ich bastelte aus einem Karton ein Schachbrett und schnitt viele kleine Scheiben aus, auf die ich mit Geschick die einzelnen Schachfiguren zeichnete. Besonders stolz war ich auf den schwarzen Läufer und die schwarze Königin, die beide ein imposantes und etwas finsteres Aussehen aufwiesen. Das Spiel hatte bei meinen Kameraden Erfolg, und schließlich gelang es mir, durch die Vermittlung einer etwas älteren Freundin, auch Adriano herauszufordern. Ich war sehr aufgeregt. Bei dieser Partie suchte ich mein Bestes zu geben und entfaltete sämtliche Techniken und Tricks, die ich aus einem kleinen Handbuch und beim Spielen mit meinem Vater in Fiume gelernt hatte. Und in wenigen Zügen setzte ich meinen Gegner schachmatt.

Adriano wurde rot vor Scham, und von diesem Moment an ging er mir geflissentlich aus dem Weg.

Um mich soviel wie möglich vom Silos fernzuhalten, schickte mich meine Mutter im September wieder an den Lido zu Onkel und Tante. Die letzten Ferientage verbrachte ich dort mit Baden, allein mit meiner Kusine, da die Tante Ada allergisch gegen Sonne war und nicht schwimmen konnte. Das Meer war flach und trübte sich bei jedem Schritt. Wenn ich aus dem Wasser kam, blieb ich am Strand stehen, bis ich ganz trocken war, um mich nicht mit Sand zu beschmieren. Mein Meer war rein und tief, und die Kiesel meiner Strände waren weiß und glattgeschliffen wie Perlen, die in der Sonne glänzen.

Lieber war es mir, wenn ich sonntags mit dem Onkel zum Fischen nach Malamocco oder Alberoni ging. Wir standen früh um fünf Uhr auf und fuhren mit dem Fahrrad los, um in irgendeinem Kanal lange schwarze Würmer zu fangen, und dann richteten wir uns auf einer kleinen Mole mit Angelruten, Schnüren und Schellen auf lange, manchmal erfolgreiche Wartezeiten bis zum Mittag ein. Die Tante mochte diesen Sport nicht und behauptete, daß dieser ganze Fischereikram – Angelhaken, Senkblei, Döschen, Köder, Lumpen, Schnüre, Becher –, die der Onkel in einer Art Köfferchen säuberlich aufbewahrte, ekelhaft stinke.

Danach nahm ich mein gewohntes Internatsleben wieder auf, bestehend aus Lernen, aus Gehorchen und aus einem Dasein im Schatten. Auch aus Resignation, als ob ich endlich ein uraltes Geheimnis begriffen hätte, nämlich daß das ganze Leben nichts ist als ein langes, geduldiges Warten.

Neben dem Sprechzimmer, in dem die Mutter Oberin die Eltern empfing und die Zöglinge Besuche von auswärts treffen durften, lag die kleine, sehr gepflegte Klosterkapelle. Der Altar stand voll frischer Blumen, der Boden war spiegelblank poliert, und unter der Muttergottesstatue brannten immer Kerzen.

Manchmal bekam ich während der Freizeit Lust, mich kurz zu absentieren und in die Kapelle zu laufen, zu Füßen der Muttergottes mit dem tiefblauen Umhang über dem weißen, in weichen Falten fallenden Gewand, den Kopf umgeben von einem Sternenkranz aus kleinen brennenden Lämpchen. Ich liebte das Halbdunkel dieser Kapelle und ihren leicht betörenden Duft nach Weihrauch und Lilien.

Stella matutina, regina angelorum, rosa mystica, turris eburnea sangen die Schwestern, verborgen im Chor hinter dem Altar, sobald nach dem Rosenkranz die Litaneien drankamen. Es mußte schön sein, das Paradies, wenn es die Farbe dieses Mantels hatte und übersät war mit so vielen funkelnden Sternen wie die, welche das Gesicht der Madonna umrahmten.

Die Schwestern sahen meine Besuche in der Kirche gern und betrachteten mich als Musterschülerin: ruhig, fleißig und auch noch fromm. Sie wählten mich aus, um an einem von der Diözese Venedig ausgeschriebenen Katechismus-Wettbewerb teilzunehmen. Schwester Giovanna hatte die Aufgabe, mich auf die Prüfung vorzubereiten. Sie ließ mich sämtliche dogmatischen Definitionen auswendig lernen, fragte mich eine Woche lang geduldig ab und begleitete mich schließlich, zusammen mit Schwester Bianca, nach Venedig zum Examen. Ich machte keine besonders glückliche Figur. Alles lief gut, solange es darum ging, mechanische Antworten zu geben, doch als ein Prälat mich fragte, was meiner Ansicht nach der Tod sei, wußte ich nichts zu erwidern. Man sagte mir, es sei die Loslösung der Seele vom Körper, während ich mir etwas viel Düstereres und viel Glorreicheres vorstellte. Trotzdem wurde ich zusammen mit den anderen Teilnehmern prämiert. An diesem Tag hatte mich Schwester Giovanna mein bestes Kleid anziehen lassen, und Susanna hatte mir ihre Schuhcreme und Bürste geliehen und mir geholfen, meine Schuhe auf Hochglanz zu bringen. Aus den Händen des Patriarchen von Venedig, des späteren Papstes Johannes XXIII., erhielt ich eine Medaille, die ich jetzt nicht mehr finde.

Am Sonntag habe ich die Kirche Santa Chiara in Neapel besucht, wo Claudio an einem Goethe-Symposium teilgenommen hat.

Vor mir ging, an der Hand seiner Mama, ein kleiner Junge, der sich immer wieder nach mir umdrehte, mir schelmische Blicke zuwarf und dann plötzlich sein lachendes, kleines Spitzbubengesicht verbarg, um mich, wie ein gewitzter Verführer, anzulocken und gleich darauf zu fliehen. Seine zarten hellen Haare ringelten sich um die Kopfmitte wie Blütenblätter einer Margerite um den gelben Stempel, formten in spiralförmiger Bewegung eine kleine rotgoldene Galaxis.

Ich weiß nicht, woran ich mich mehr erinnern werde, an die Anmut dieser Verführung oder an den geheimnisvollen Zauber des mit Majoliken ausgekleideten Klostergartens neben der Kirche, ein Triumph in Blau, Grün und Ocker in der verwirrenden Symmetrie der Pilaster und Bänke, wie in einer Spiegelflucht, entlang der kreuzförmig angelegten Parkwege, auf denen Jungfrau Clorinda heimlich ihre Flechten lösen könnte zwischen flimmernden Schatten und dem süßen, betörenden Duft der Orangenblüten.

So lebte ich die folgenden zwei Jahre meist fern von meiner Familie. Während des Schuljahrs blieb ich am Lido, und die Sommerferien verbrachte ich zum Teil im Silos und zum Teil in einer Ferienkolonie.

Im folgenden Sommer hatte ich auch den aus Neapel zurückgekehrten Papa angetroffen, der mit finsterem Gesicht herumlief und mich kaum beachtete. Man ging nun nicht mehr zum Essen in die Kantine in der Via Gambini, sondern die Mama hatte, dank der Unterstützung durch die »Postbellica«, angefangen, selbst in der Wohnung zu kochen. Unsere Box war, wie die anderen, mit einem Ölpapier abgedeckt worden, welches das hereindringende Licht gelblich färbte, den Staub fernhielt und ein größeres Gefühl von Intimität vermittelte. Andererseits aber verringerte es natürlich die Zufuhr von Frischluft, die nur aus dem mit großen, auf den Innenhof gehenden Fenstern ausgestatteten Waschbecken- und Toilettenbereich hereindrang.

Schließlich kam der Moment, an dem ich mich für immer vom Istituto Campostrini verabschieden mußte.

Ich ließ keine Erinnerung an glückliche Zeiten zurück. Dennoch befand ich mich, als ich am Tag der Abreise meine wenige Habe packte und meine Bücher zusammensuchte, in einer Stimmung verstörter Traurigkeit, verursacht jedoch vielleicht mehr durch die ungewisse Zukunft, die mich erwartete, als durch die melancholische Vergangenheit, die hinter mir lag.

Ich küßte den Ring der Mutter Oberin, das Kreuz auf der Brust von Schwester Livia und den Rosenkranz von Schwester Giovanna, drückte meinen Kameradinnen, die im Internat blieben, die Hand und umarmte die Signora Visintini, die in den Garten heruntergekommen war, um sich von mir zu verabschieden. Dann ging ich weg, in Begleitung von Onkel Alberto, der nicht aufhörte, den anwesenden Schwestern mit vielen höflichen Worten zu danken. Schließlich überschritt ich zum letztenmal die Schwelle des schwarzen, schmiedeeisernen Tors und entfernte mich, ohne den Zaun zu betrachten, der den Garten umschloß und über den hinwegzufliegen – leicht in der Luft schwimmend oder frei wie ein Vogel – ich oft geträumt hatte.

Ich hatte die mittlere Reife mit ausgezeichneten Noten bestanden, und Signorina Messe wie auch Schwester Livia waren sich darin einig, daß ich unbedingt eine weiterführende Schule besuchen sollte, wenn möglich ein Gymnasium.

Das war für meine Eltern jedoch ein Problem. Angesichts unserer verheerenden wirtschaftlichen Lage hielt es mein Vater für einen Luxus, Töchter studieren zu lassen, und hätte es am liebsten gesehen, daß ich und später meine Schwester gleich nach der Mittelschule angefangen hätten zu arbeiten, und sei es als Verkäuferinnen in irgendeinem Geschäft. Meine Mutter dagegen widersetzte sich, getreu ihrem Vorsatz und vielleicht zum erstenmal ihrem Mann widersprechend, entschlossen diesem Plan und meldete mich am Dante-Alighieri-Gymnasium an.

Unsere Box ging auf eine Hauptstraße des dritten Stocks, und zwar auf die, welche vom Treppenhaus in den Waschbecken- und Toilettenbereich führte, wohin ich mich öfter zurückzog unter dem Vorwand, einen Eimer Wasser zu holen, mir Gesicht und Hände zu säubern oder ein Kleidungsstück auszuwaschen. In Wirklichkeit suchte ich das Licht und die Luft, die mir in der Box fehlten. Im Schlafraum schliefen wir zu fünft in vier Betten, getrennt durch schwere, von der Mama an Schnüren aufgehängte Vorhänge, die enge, stickige Zellen bildeten. Ich lag zwischen der Großmutter Quarantotto und dem Papa, der lautstark schnarchte. In einem Winkel stand ein etwas breiteres Sofa, auf dem nach meiner Ankunft die Mama und meine Schwester zusammen schliefen.

Der erste Sommer, den ich ganz im Silos verbrachte, war schrecklich heiß. Das Oberlicht über uns schuf im Innern der großen Halle ein regelrechtes Treibhausklima. Tagsüber versuchten wir, uns so wenig wie möglich im Haus aufzuhalten, und setzten uns auf die Bänke der Piazza Libertà unter die Bäume. Die Großmutter entdeckte bei dieser Gelegenheit ihre Liebe zu den Spatzen und brachte ihnen Brotkrümel, die meine Mutter jeden Tag sorgfältig vorbereiten mußte. Manchmal fuhren wir zur Abkühlung mit der Tram nach Barcola, um im städtischen Bad Cedas, in dem Männer und Frauen streng getrennt waren, ein wenig zu schwimmen. Die Großmutter zog sich nicht aus, sondern benetzte nur ihr großes, immer offenes Krampfaderngeschwür, das sie an einem Bein hatte, mit Meerwasser und setzte es der Sonne aus.

Der Papa dagegen, der den Reinfall von Neapel noch nicht verwunden hatte, war die meiste Zeit unterwegs, auf der Suche nach Arbeit. Er konnte sich nicht mit der Untätigkeit abfinden. Nach ein paar Monaten fand er eine provisorische Anstellung beim CIME, einem Büro, das die Auswanderungsanträge sichtete und auswertete, die von den Flüchtlingen für zahlreiche Länder, vor allem aber für Australien, gestellt wurden, wo viele unserer Landsleute sich eine neue Existenz aufbauten. Danach arbeitete er ein paar Jahre lang bei der Alliierten Militärregierung als Buchhalter in einem Warenlager für die Verproviantierung der amerikanischen Truppen. In kurzer Zeit lernte er, sich auf englisch zu verständigen, und fraternisierte mit den amerikanischen Soldaten, die ihn ins Herz schlossen wegen seiner herkulischen Kraft und dem Abenteurertemperament eines Wildwesthelden. Vor allem war er bei ihnen als Champion im Kräftemessen sehr geschätzt, da es ihm lange Zeit gelang, unter den anfeuernden Rufen und den Wetten der Umstehenden, die jüngeren, robusten amerikanischen Soldaten, oft riesengroße Neger, die ihn immer wieder herausforderten, zu besiegen.

Anfangs war es meine Schwester, die mich durch die labyrinthischen Wege des Silos leitete, denn es war schwer, sich zurechtzufinden, da alle Boxen gleich aussahen. Lucina hatte inzwischen gelernt, sich ganz natürlich darauf zu bewegen, wie ein neapolitanischer Gassenjunge im Straßengewirr seiner Stadt. Sie brachte mich zu Tante Nina und meinen Vettern und Kusinen, die im zweiten Stock wohnten, oder zu irgendeiner Freundin, die ich im Ferienlager kennengelernt hatte.

Eine von diesen fing an, mir Bücher zu leihen. Seit ich aus Fiume fort war, hatte ich außer der *Ilias* und der *Odyssee*, die wir in der Schule durchgenommen hatten, kein Buch mehr gelesen. Papas Bücher lagen immer noch in Kisten verpackt in einem Depot, im Internat gab es nur ein paar erbauliche Bände, und Onkel Alberto besaß keine Bibliothek. Die Bücher kamen mir daher vor wie eine verbotene Frucht. Wenn ich eines in die Hände bekam, zog ich mich stundenlang auf die Liege in meiner Zelle zwischen den schweren, nach Staub riechenden Vorhängen zurück und las gierig, ohne der Sommerhitze zu achten, völlig losgelöst von der mich umgebenden Wirklichkeit.

Unter anderem lieh mir meine Freundin auch *Krieg und Frieden*. Dieser Roman schlug wie ein Blitz in meine ärmliche Jugend ein und wurde zum heimlichen Parameter all meiner geheimen Sehnsüchte und meines Lebensideals.

Ich verliebte mich in Natascha, in Maria, in Sonja, in den Fürsten Andrej und in Pierre Bezuchov. Mit ihnen weinte und träumte ich. Das Leben im Silos erschien mir erträglicher, wenn Natascha am Schluß Pierre heiratete und eine Mutter mit breiten Hüften wurde, wenn Fürst Andrej beim Sterben den hohen Himmel über sich betrachtete und Sonja sich mit

Ruß einen Schnurrbart auf ihr schönes, vor Leidenschaft glühendes Gesicht malte.

Das Leben draußen in der Welt war also groß, schön, leidvoll und heilig, und ich würde eines Tages daran teilhaben.

Heute morgen habe ich die Kissen abgezogen und sie mit frischen Leinenüberzügen versehen, die meine Mutter für ihre Aussteuer gestickt hat. Zu meinem Kummer habe ich dabei entdeckt, daß der Stoff an verschiedenen Stellen abgewetzt ist, durchsichtig geworden wie manchmal die Haut von alten Menschen. Ich werde diese Kissenbezüge nicht mehr verwenden, denn ich möchte nicht, daß die Zeit zu bald über sie triumphiert, sondern werde sie aufbewahren, zusammen mit einer Kleiderbürste aus rotem Samt in Form einer Katze, die mir die Mama vor vielen Jahren zu einem Geburtstag geschenkt hat. Die habe ich wieder in den hintersten Winkel eines Schranks geschoben, der freilich eher ein geheimer Winkel meines Herzens ist, manchmal entlegen und verstaubt und manchmal weit gespannt über dem Strudel der vergangenen Jahre.

Für eine Weile noch werde ich die Spitze und das runde Q des Monogramms, von den geduldigen und keuschen Händen der Mama mit Flachstich gestickt, dem Verschleiß und Vergessen entreißen. Ein zäher und letztendlich nutzloser Kampf, wie der, den Ursula in *Hundert Jahre Einsamkeit* kämpft, um ihr Haus gegen das Wuchern des Unkrauts und die Invasion der Ameisen zu verteidigen.

Ich habe meine Aussteuer nicht gestickt, sondern sie gekauft, mit dem Geld, das ich als Angestellte bei den Assicurazioni Generali verdiente, wo ich, ehe ich Lehrerin wurde, sechs Jahre lang beschäftigt war, dank meiner Englischkenntnisse und meines neben dem Studium erworbenen Diploms als Fremdsprachensekretärin.

In dem kleinen Park an der Piazza Libertà, wohin ich wie üblich mit meiner Familie gegangen war, um ein wenig Abkühlung von der glühendheißen, in den frühen Nachmittagsstunden besonders unerträglichen Luft in unserer Box zu suchen, fand ich eines Tages einen aus dem Nest gefallenen Spatz. Meine Schwester und ich liebten die Tiere, und dieses Vögelchen machte uns große Freude. Auch die Großmutter Quarantotto ließ sich davon rühren. Wir fütterten es mit eingeweichtem Brot und gekochtem Eigelb, ließen es in einem Nest aus Stoff schlafen und trugen es zum Luftschnappen ins Freie.

Bei einem dieser Spaziergänge wurde unser Spätzlein von einer Katze erwischt, die plötzlich unter einem Lastwagen hervorgeschossen kam. Verzweifelt rannten wir ihr nach, bis sie erschrocken den Vogel fallen ließ, der zwar blutete und verletzt war, aber noch am Leben. Er lebte noch ein paar Tage, fast als wolle er unsere Liebe nicht enttäuschen. Eines Nachmittags, als ich, von der Hitze erschöpft, auf meinem Bett lag und die Arme auf den Fußboden hängen ließ, um den Kontakt mit den glühenden Laken zu vermeiden, kam das Spätzlein und suchte Schutz in der Höhlung meiner Hand. Das war sein Abschied. Am nächsten Morgen fanden wir es steif auf einer Seite liegend, mit einem Speichelfaden, der ihm aus dem Mund lief, die Augen geschlossen und die kleinen Krallen ordentlich nebeneinander. Tiere begegnen dem Tod ruhig und mit Würde. Ihre Bernsteinaugen, geheime Chiffren eines unergründlichen Lebens, verstehen es, sein Mysterium anzunehmen, ohne sich dagegen aufzulehnen.

Mein Vetter Enzo half mir, zwischen Silos und Bahnhof ein Loch zu graben und darin das Spätzlein zu beerdigen – in einer Schuhschachtel mit ein bißchen Futter darin.

In meiner Kindheit war ich schon öfter durch den Tod eines Tieres verstört worden. Ein krankes Kätzchen, das ich im Garten aufgelesen und nach Hause gebracht hatte, war eines Nachts von meinen Eltern aus dem Weg geräumt worden. Nachbarn hatten dem Hunger der Kriegszeit einen jungen Hahn geopfert, der ohne einen Laut mit heftigem Zittern vor meinen Augen sein Leben aushauchte. Ein weißes Hühnchen, das Papa lebend aus Istrien mitgebracht hatte und das ich liebgewann, da es einige Tage auf unserem Küchenbalkon hauste, war eines Festtags plötzlich gebraten auf dem Tisch erschienen. Damit wir leben konnten, mußte also jemand sterben. Das war die Urschuld.

Von da an aß ich kein Fleisch mehr, und erst Tante Ada gelang es später, am Lido, mich zu überreden, aus Gesundheitsgründen hin und wieder ein Beefsteak zu essen, indem sie mir auf meine drängenden Fragen versicherte, daß es sich nicht um ein Kalb, sondern um ein ausgewachsenes Rind handle, das erst geschlachtet worden sei, nachdem es die Liebe seiner Mutter genossen, sich an ihrer Milch satt getrunken und wenigstens ein paar Jahre lang die Freuden der sommerlichen Weide erlebt habe. Onkel Alberto dagegen machte mich darauf aufmerksam, daß ich, wenn ich fischte und dann den Fisch aß, keine solchen Skrupel hätte. So wurde jeder Bissen zu einem unauflöslichen Widerspruch und durchbohrte mein Herz, das noch dunkle Sehnsüchte nach Metamorphose hegte.

Der Herbst brachte uns ein wenig Erholung von der Hitze, und ein paarmal ergab sich die Gelegenheit, mit meiner Familie nach Semedella in der Zone B zu fahren, wo Onkel Domenico ein immer noch florierendes landwirtschaftliches Anwesen besaß. Die Rebstöcke hingen voll reifer Trauben, und auf den großen Holztisch unter der schattenspendenden Pergola vor dem Haus stellten die zahlreichen Töchter des Onkels (von der Großmutter als dumme Gänse angesehen) und der einzige Sohn, der mit einem braven Mädchen (leider jedoch unfruchtbar, wie man im Verwandtenkreis zu betonen pflegte) verheiratet war, Körbe voll Obst, Weintrauben mit kleinen blanken Kernen, Wurst und hausgebackenem Brot für uns hin.

Die Mama hatte mir und meiner Schwester eingeschärft, ja nie mit dem Onkel Domenico allein zu bleiben. Später vertraute sie uns an, daß er seine nervenkranke Frau bis zu ihrem Tod lange Perioden eingeschlossen in einer Dachstube gehalten hatte, wohin er ab und zu ging, um sie zu versorgen, wobei er sie schlug und vergewaltigte. Die Schreie der Frau waren der Alptraum meiner Mutter gewesen in den Jahren, die sie in diesem Haus verbrachte. Im übrigen hatte sie Grund zu dem Verdacht, daß der Onkel auch seine Töchter mißbrauchte.

Dabei wirkte er gar nicht so böse. Wenn er, beladen mit Geschenken – Eiern, Feigen, Käse –, uns im Silos besuchte, war er bis zu Tränen gerührt, sobald er von seiner Nichte sprach. »Die Jole ist ein Engel«, sagte er. »Das Mädel ist so gut zur Mama«, und wischte sich die Augen mit einem weißen Taschentuch, mit dem er sich dann auch noch über die Stirn fuhr, in deren tiefen Furchen sich der Schweiß in kleinen dunklen Rinnsalen sammelte. Ein paar Jahre später verdorrte der Onkel wie ein Baum und starb an Lungenkrebs.

Heute herrscht eine seltsame Atmosphäre in meiner Wohnung. Alles ist reglos, eingetaucht in die heiße Sommersonne, die unerbittlich durch die ins Grüne hinaus geöffneten großen Fenster hereindringt. Die Geranien auf dem Balkon sind wie Feuerzungen, der Oleander im Garten eine rosa Flamme. Meine Kinder tummeln sich mit Freunden am Meer in Barcola, und die Stille um mich herum bedrückt mich ein wenig. Vielleicht gemahnt mich ein Knötchen, das ich von neuem in meiner Brust entdeckt habe, an den Schatten, mit dem wir leben müssen. Jedes Leben trägt in sich den Keim seiner Zerstörung.

Doch morgen fahren wir alle zusammen zu unseren von den Göttern bewohnten Inseln, Cherso, Unie, Canidole, Oriule, Levrera. Für zwölf Tage werde auch ich unsterblich sein.

Für die Großmutter hatte inzwischen eine letzte glückliche Lebensphase begonnen, als sie nämlich die Möglichkeit entdeckte, das Silos zu ihrer neuen Bühne zu machen. Um das Publikum für sich zu gewinnen, wählte sie die Rolle der Grande Dame, die mit Würde das Martyrium der Armut und des Exils erträgt und mit ihrer beispielhaften Haltung den Leidensgenossen Mut einflößt. Sie unterstrich noch ihr Erscheinungsbild der gebrechlichen, hilfsbedürftigen alten Frau, indem sie ihre außergewöhnliche Energie und Gesundheit unter der seidigen Aureole der weißen Haare und den Rundungen ihres unförmigen Körpers verbarg, dem sie mit getragenen Gesten und einem müden Schritt Feierlichkeit zu verleihen wußte.

Hin und wieder, wenn sie es für angebracht hielt, sich besonders bewegt zu zeigen, simulierte sie Unwohlsein, Herzklopfen und eine nahende Ohnmacht. »Mir zittert das Leben«, sagte sie, sich beschwörend das Herz massierend, und es gelang ihr sogar, sich auch noch echte Tränen abzuwischen.

Die Milde und Vornehmheit des Alters, die sie in der Öffentlichkeit zur Schau trug, verwandelten sich in gewöhnliche Senilität, sobald sie die häusliche Schwelle überschritt. Sie ließ sich, wenn sie sich bei uns aufhielt, in allem von meiner Mutter bedienen, und wenn sie bei ihrer anderen Tochter war, schimpfte und stritt sie ständig mit Tante Nina herum. Ihre beiden Schwiegersöhne verabscheute sie, ganz besonders meinen Vater. Vor Onkel Rudi hatte sie keinerlei Achtung und bezeichnete ihn rücksichtslos als Säufer und Tunichtgut. Dagegen mußte sie ihren finster grollenden Haß gegen meinen Vater in sich hineinfressen, da sie diesen riesigen Schwiegersohn fürchtete, der sie mit stummer Feindseligkeit betrachtete und sich nur beherrschte, um der Mama keinen Kummer zu bereiten. Die weiblichen Enkelkinder wurden, mit einem gewissen Bonus in meinem Fall aufgrund meiner Schulerfolge, von der Großmutter als quantité négligeable angesehen, und den größten Teil ihrer Verwandtschaft bezeichnete sie als *bardassoni*, ein Ausdruck, den sie geprägt hatte, um eine leere Dünkelhaftigkeit zu benennen, die sich in ständigem belanglosen Geschwätz äußert.

In kurzer Zeit war es Großmutter Quarantotto gelungen, bei allen bekannt zu werden und aus der anonymen Masse der Flüchtlinge herauszuragen. Besonders als Organisatorin von Kollekten war sie berühmt und gefürchtet. Sobald irgendein nationales Unglück passiert war, ging sie mit unerbittlicher Beharrlichkeit von Tür zu Tür, und es gelang ihr, ordentliche Summen zusammenzubringen, die sie dann, im Namen aller Vertriebenen, irgendeiner »Autorität« übergab. Der Stadtpräfekt bezeichnete sie eines Tages als »Bürgermeisterin« des Silos, ein Titel, auf den sie immer sehr stolz war.

Vor ein paar Tagen hat Tante Nerina gegen Abend im Bademantel das Zimmer, das sie in der Pension Villa Celesia in Como bewohnte, verlassen und ist wie üblich in den Park hinausgegangen, um die Katzen zu füttern. Auf solche Weise füllte sie ihre grauen und untätigen Tage, deren Leere nur unterbrochen wurde durch gelegentliche Besuche bei ihrem Sohn Roberto oder in der Klinik, in der Onkel Vittorio untergebracht ist, der seit Jahren an heftigen Nervenzuständen leidet, die ihn entweder zu euphorisch werden lassen, erfüllt von ebenso unsinnigen wie kurz andauernden Initiativen, oder in tiefe Depressionen stürzen.

Am nächsten Morgen um neun fand man die Tante tot am Boden liegend. Sie hat so, in der Einsamkeit einer eisigen Nacht, ein Leben beendet, das im Grunde schon längst zu Ende war.

Auch Tante Nina hat uns an Weihnachten in aller Stille verlassen, sie, die so viele Jahre lang, ohne Rücksicht auf ihre Kräfte, als Zugehfrau in Privathaushalten, Putzfrau in Büros und Spülerin in einer Gastwirtschaft geschuftet hatte.

Nonna Anka kommt häufig zu uns auf Besuch. Für gewöhnlich wählt sie dafür den Dienstagnachmittag, denn da kann sie Valeria hier antreffen, die seit Monaten nicht mehr spricht und nur noch gehen kann, wenn man sie stützt. Sie sieht uns mit ihren feuchten, liebevollen Augen an, und wenn sie die Kraft hat, hebt sie eine Hand, um eine müde Liebkosung anzudeuten.

Für Nonna Anka ist sie das hübscheste und liebste Mädchen der Welt. Sie registriert genau, ob sie ein wenig gewachsen ist, ob sie eine gute Hautfarbe hat, ob sie warm genug angezogen ist, und empfiehlt Kräutertees, frisch gepreßte Säfte und Aufbaukuren zur Kräftigung. Hin und wieder sieht sie das Mädchen gedankenverloren an und sagt mit einem leisen Seufzer »wie schade«. Im Alter von fast achtzig Jahren hat Nonna Anka die Mutterliebe entdeckt, die ihr trotz einer bewegten und langen Ehelaufbahn verwehrt blieb. Wenn sie kommt, ziehe ich mich zurück, um sie mit ihrem Kind ein bißchen allein zu lassen, und von einem anderen Zimmer aus höre ich dann die langen Reden, die aufmunternden Worte und das zustimmende Lachen, die sie in einem gedrängten und geheimnisvollen Dialog an Valeria richtet.

War schon die Sommerhitze im Silos eine nicht leicht zu ertragende Prüfung gewesen, so wurde der Winter regelrecht zur Tragödie. Die einzige Heizmöglichkeit in der Box war ein kleiner Elektro-Ofen, dessen Sicherung ständig heraussprang und dem es kaum gelang, die vor allem an den Tagen der Bora beißend kalte Luft im Zimmer auch nur ein wenig anzuwärmen. Es war schrecklich, sich am Abend auszuziehen und unter die starren Decken zu legen, die sich wie Marmor anfühlten, und noch schlimmer war es am Morgen, die laue Wärme des Betts zu verlassen, um sich der einen sofort umgebenden feindlichen Luft und dem eisigen Wasser im Waschraum auszusetzen. Ich war immer erkältet und litt an Frostbeulen. Wenn ich bei den Hausaufgaben lange über meinen Büchern sitzen mußte, machte meine Mutter Wasser warm, füllte es in eine Waschschüssel und stellte diese unter den Tisch, damit ich meine schmerzenden Füße hineintauchen konnte.

Außerdem quälten mich meine schulischen Mißerfolge. Tatsächlich ging es mir anfangs gar nicht gut in der Schule, und auf die Triumphe der Mittelstufe folgte im Gymnasium ein Mißerfolg nach dem anderen. Die Literaturlehrerin, Professoressa Pischianz, war äußerst anspruchsvoll, streng und rigide. Sie versetzte mich geradezu in Panik. Nicht selten mußte ich, kaum daß ich im Klassenzimmer war, aufs Klo rennen, um mein Frühstück zu erbrechen.

Im ersten Trimester hatte ich drei Ungenügend im Zeugnis, eines davon in Griechisch. Dabei lernte ich viel, trotz der beschwerlichen Umstände, und ich war alles andere als eine nachlässige Schülerin. Ich fühlte mich völlig verloren. Als meine Mutter mich so bekümmert sah, bemühte sie sich, das griechische Alphabet zu lernen, um mir helfen zu können, und fragte mich Vokabeln, Deklinationen und Verben ab, die sie schließlich selbst ein wenig lernte. Schon im zweiten Trimester waren die drei Ungenügend verschwunden, und das Schuljahr schloß mit einer guten Durchschnittsnote, die ich dann, ohne allzu große Schwankungen, bis zum Abitur beibehielt.

Meine Abteilung, die Sektion D, bestand nur aus Mädchen. Der Religionslehrer, Don Rigonat, hatte sich in diesem Jahr für die Bildung von getrennten Knaben- und Mädchenklassen stark gemacht. Bei meiner Schüchternheit war mir das gar nicht unangenehm. Die Mädchen meiner Sektion scheinen im »Dante« nicht im Ruf besonderen Liebreizes gestanden zu haben. Jedenfalls erzählte mir Claudio, der in eine Parallelklasse ging, daß wir »die Stockfische von der D« genannt wurden. Mir jedoch kamen meine Mitschülerinnen, die in Wirklichkeit wesentlich linkischer als der heutige Durchschnitt waren, alle bildhübsch, elegant, gepflegt und charmant vor. Voll Bewunderung betrachtete ich diejenigen, die einen Schottenrock in schönen Farben trugen mit einem dazu passenden Pullover und Schuhe mit einem leichten Absatz oder die sogar eine Perlenkette um den Hals hatten. Einige kamen aus wohlhabenden Familien, andere aus bescheidenen Verhältnissen oder waren Flüchtlinge wie ich, aber alle hatten sie wenigstens ein richtiges Zuhause.

Das Kaufen der Schulbücher war für meine Familie ein Drama gewesen. Man brauchte so viele, und vor allem die Lexika kosteten eine Menge Geld. Zum Glück lieh mir die *Lega Nazionale* eine große Anzahl Bücher, und die anderen wurden entweder gebraucht oder mit sehr langen Ratenzahlungen gekauft.

Laura ist einen Monat und wenige Tage alt. Sie ist ein wunderschönes Baby mit rosigen Wangen und Haaren schwarz wie Ebenholz. Eigentlich hätte Laura nicht geboren werden sollen. Ihr Vater, ihre Großeltern und viele Freunde der Familie waren dagegen, als sie, unter Umständen, die allen wenig opportun erschienen, schüchtern ihr Kommen ankündigte. Jetzt ist sie wie ein Lächeln in das Leben derer getreten, die sie nicht haben wollten.

Zusammen mit einer anderen Freiwilligen des CAV habe ich die Kleine besucht. Während die Mutter mit uns plauderte, kümmerte sich der Vater ganz selbstverständlich um das Kind, wie es bei den jungen Männern heutzutage üblich ist. Er bot uns etwas zu trinken an, wärmte die Milch, wickelte den Säugling in eine Decke und legte ihn mir in den Arm, damit ich ihm das Fläschchen gab.

Und während ich ihren zarten Duft einsog, dachte ich, daß diese Laura im Grunde auch ein wenig mir gehört und daß sie das nie erfahren wird.

Die Tür zu unserer Box stand tagsüber immer offen, auch im Winter. Übrigens war das eine Gewohnheit, die von allen geteilt wurde. Vielleicht ließ sie einen sich ein bißchen weniger verloren fühlen im Elend des Exils.

In die Küche kamen daher ständig Leute, die entweder mit der Großmutter schwatzen oder von der Mama etwas ausleihen wollten, und es kamen die Freunde meiner Schwester, um sie zum Spielen abzuholen, oder die Verwandten, um nach uns zu schauen. In der Küche erledigte meine Mutter ihre Arbeit, kochte das Essen und behandelte das offene Bein der Großmutter. Diese Behandlung brauchte ihre Zeit. Die Wunde mußte mit einer lauwarmen Desinfektionslösung ausgewaschen, mit Penizillinpulver bestreut und dann sorgfältig verbunden werden. Die Großmutter hörte leidenschaftlich gern Radio, vor allem die lokalen Nachrichten aus Julisch-Venetien und den Wetterbericht. Diese Leidenschaft nahm mit den Jahren und der fortschreitenden Arterienverkalkung derart zu, daß die Mama, als die Großmutter zu uns in die Via Piccardi zog, gezwungen war, zweimal am Tag sämtliche regionalen meteorologischen Daten aufzuschreiben, einschließlich der Luftfeuchtigkeit, die die Großmutter immer besonders beeindruckte, und des in Millibar gemessenen Luftdrucks. Sie regte sich schrecklich auf, wenn meine Mutter das Radio nicht rechtzeitig anmachte oder nicht sofort Bleistift und Papier zur Hand hatte und so ein paar Zahlen ausließ.

Die Lokalmeldungen der Großmutter waren aber nur ein Teil der Radioprogramme, die ich gleichzeitig aus den Boxen der Nachbarn hören konnte, die wie wir darin wetteiferten, die Lautstärke ihres Rundfunkgeräts hochzuschrauben, um beim Empfang nicht gestört zu werden. Wenn ich neben meiner Schwester, die ebenfalls am Küchentisch Hausaufgaben machte, für die Schule arbeitete, mußte ich laut lesen, um nicht zu sehr von dem Durcheinander abgelenkt zu werden. Ich lernte sehr bald, mich von dem, was um mich herum vorging, völlig zu absentieren und nur an meine Bücher zu denken. Vielleicht verdanke ich dieser den Helden Canettis so teuren Konzentrationsübung das Gefühl, jene Jahre wie durch eine irreale Wand, abgetrennt von den äußeren Ereignissen, verbracht zu haben. Mein Leben war ein Traum, und die Menschen, die mich umgaben, nichts als Schatten. Nur mit Mühe gelingt es mir, denen, die mit uns verkehrten, einen Namen und eine Stimme zu geben, und es sind nur wenige Personen aus dem Silos, an die ich mich als Individuen erinnere. Aus unserem Stockwerk ist mir zum Beispiel eine Frau aus Cittanova im Gedächtnis geblieben, Mutter von zwei blassen und mageren Kindern, mit großen, aufgerissenen und verängstigten Augen. Regelmäßig wurde sie einmal im Monat von ihrem Mann verprügelt, und zwar immer dann, wenn er die Unterstützung abgeholt hatte und danach betrunken nach Hause kam. Sie schämte sich dessen sehr und auch ihrer blauen Flecken im Gesicht, die sie nicht verbergen konnte. Dann gab es die »Dalmatinerin«, eine sehr große, schlanke Frau, die immer eng plissierte Röcke trug, wie es bei ihr daheim der Brauch war. Mit Eleganz transportierte sie Eimer voll Wasser auf dem Kopf, ohne sie mit den Händen zu halten, vielmehr stellte sie sie auf einen kleinen Stoffring, den sie sich wie ein Krönlein auf den Kopf setzte. Noch heute trifft man sie in ihrem Aufzug, nur runzeliger geworden und mit einem Gesicht wie aus Pergament, im Borgo Teresiano, zwischen Via Ghega und Via Cellini, wo sie sich ihren Lebensunterhalt damit verdient, daß sie slawische Reisegruppen, die zum Einkaufen nach Triest kommen, in irgendwelche Geschäfte führt.

Auch der Maestro war eine Figur, die sich einprägte. Ich nehme an, daß er ein »Schulmeister« war, aber wer ihn mit dem

Titel Maestro anredete, legte eine solche Hochachtung hinein, daß man ihn nur als etwas Besonderes ansehen konnte. Er war ein Mann um die Dreißig, mit Schnurrbart, korpulent und ein wenig schlaff. Offenbar besaß er ein besonderes Charisma. Eine Zeitlang war es ihm gelungen, so etwas wie die Treibkraft des Silos zu sein, indem er mit Erfolg Bunte Nachmittage, Chöre und Theateraufführungen organisierte. Sogar mein Vater hatte sich beschwatzen lassen und bei einem Krippenspiel die Rolle des Melchiors übernommen: eingehüllt in ein weißes Leintuch, mit einer goldenen Krone auf dem Kopf und einem mit einem angebrannten Korken geschwärzten Gesicht. Die Mama dagegen hatte, ängstlich bebend und bewegt, die heilige Anna, die Mutter Marias, dargestellt.

Die Großmutter Quarantotto betrachtete den Maestro jedoch mit Argwohn, da sie in ihm einen gefährlichen Konkurrenten in Sachen Popularität sah. Sie warf meinen Eltern vor, seine Anhänger zu sein, und bezeichnete ihn als einen *bardasson*.

Unsere Box grenzte mit ihrem Schlafbereich an den von Emma, und mehr noch als von Nachbarschaft konnte man von Wohngemeinschaft reden. Die dünne Holzwand und das Papierdach sicherten nur eine visuelle, aber keineswegs eine akustische Trennung.

Emma war eine noch junge und hübsche Frau mit einem sehr unruhigen und aufmüpfigen kleinen Sohn, in dem viele bereits einen Tunichtgut sahen, denn auf ihm lastete die Tatsache, ein »Bastardchen« zu sein. Emma hatte eine traurige Geschichte hinter sich. Sie war verheiratet und Mutter von zwei Kindern, und als ihr Mann eingezogen und an die Front geschickt worden war, bekam sie den ganzen Krieg hindurch keinerlei Nachricht von ihm. Da sie ihn für tot hielt, fand sie einen anderen Partner, von dem sie ein Kind bekam. Doch nach Kriegsende kehrte ihr Mann zurück, jagte die Frau mit dem Kind aus dem Haus und behielt seine eigenen Kinder bei sich. Auch der zweite Mann verschwand nach kurzer Zeit, und so stand sie plötzlich mittellos und allein da, um die Frucht ihrer Illusion aufzuziehen. Doch Emma hatte ein sonniges Gemüt. Sie war dunkelhaarig, keck und herausfordernd. Das dichte, krause Haar umrahmte ihr lächelndes und ein wenig vulgäres Gesicht. Bei der Hausarbeit sang sie immer mit einer schönen, festen Stimme.

Emma empfing oft junge Männer in ihrer Box, und durch die dünne Trennwand konnte ich ihr munteres und provozierendes Lachen und das verschwörerische Flüstern der Liebhaber hören. Manchmal hielt ich mir die Ohren zu, um es nicht hören zu müssen. *Mater castissima, regina sine labe originali concepta, ora pro nobis.* Ich würde einmal einen starken, großzügigen und guten Mann finden, einen Mann wie Hektor, wie Pierre Bezuchov, und ich würde mich ihm mit einem Lächeln zuwenden und ihn bezaubern.

Der Fußboden der Kirche an der Piazza Rosmini ist aus weißem Marmor und durch verschiedenfarbige Bänder in Quadrate unterteilt. Links, in der Mitte des Schiffs, genau am Fuß einer Säule, erkennt man in einer rosa Intarsie deutlich einen fossilen Ammonit, so groß wie der aus Pannonien, den Nonna Anka mir geschenkt hat und der den kleinen Tisch im Wohnzimmer ziert.

In der Sonntagsmesse stelle ich mich für gewöhnlich neben diese Säule, nicht aus einem besonderen Grund, sondern um jenem unbewußten und beruhigenden Ritual Genüge zu tun, das einen dazu treibt, das Vertraute zu suchen und zunächst nur zufällig gemachte Gesten zu wiederholen. Vor allem während der Predigt folgt mein Blick lange dem harmonischen Schwung der gewölbten Schale, auf die ich mich bei der Wandlung knie, so daß sich für ein paar Augenblicke eine kleine Gegenwart verbindet mit einer grenzenlosen, in rosafarbenen Voluten versteinerten Vergangenheit, um das Geheimnis des Ewigen zu betrachten.

Die Hände des Signor Zacchini sind groß, väterlich, intelligent und auf ihrem Rücken mit rötlichen Härchen bedeckt. Ich betrachte sie immer mit Staunen, wenn er, mit Erde beschmutzt, nach getaner Gartenarbeit auf einen Kaffee zu mir in die Wohnung kommt. In dieser Jahreszeit ist Signor Zacchini hauptsächlich damit beschäftigt, das dürre Laub zusammenzurechen, das er dann in einer tiefen, hinterm Haus ausgehobenen Grube vergräbt. So bereitet er für das nächste Frühjahr einen hervorragenden Humus, mit dem er die Hortensien und die anderen Blumen in den Rabatten düngt. Signor Zacchini ist ein Flüchtling aus Umago und hat sämtliche Härten des Exils durchgemacht, doch es gelang ihm, sein Wissen und die Geschicklichkeit seiner Hände gegen die Widrigkeiten des Lebens einzusetzen. Seit vielen Jahren ist er der Gärtner unserer Hausgemeinschaft und mein guter Hausgeist. An ihn wende ich mich, wenn ein Wasserhahn tropft, wenn die Kaffeemaschine furchteinflößend zischt, wenn eine Schranktür nicht schließt oder wenn das Balkongeländer vom Rost bedroht ist. Er war es, der die Fahrräder der Jungen reparierte, als sie klein waren. Bei sich zu Hause ist er ein mustergültiger Familienvater und Ehemann, der sich für die Kinder und seine herzkranke Frau aufopfert und sich um alles in der Wohnung kümmert, vom Einkaufen bis zum Wäschewaschen.

Heute hat er meine Geranien zum Schutz vor der Kälte in ein in einer Ecke der Terrasse aufgestelltes Plastik-Gewächshaus verfrachtet und die von der Bora abgerissenen Zweige der Bougainvillea hochgebunden. Während er in der Küche wie üblich seinen Kaffee schlürfte, fiel sein Blick auf meine laufende Waschmaschine, und kopfschüttelnd hat er sie als die nützlichste Erfindung des Jahrhunderts bezeichnet, da sie eine solche Erleichterung an Arbeit und Mühe mit sich bringe. »Waschlaugen« hatte er oft genug in seinem Leben angesetzt.

Auch meine Mutter wusch die Wäsche immer von Hand. Erst in den letzten Jahren ihres Lebens, in der Via Piccardi, hatte sie sich eine Waschmaschine leisten können. War schon in Fiume die große Wäsche von Bettlaken, Tischdecken und Handtüchern mühsam gewesen, so wurde sie im Silos regelrecht zu einem Unternehmen. Die Mama machte geduldig Töpfe voll Wasser heiß, schüttete dieses dann dampfend in einen großen Bottich im Abstellraum und ließ die Wäsche über Nacht in der Lauge einweichen. Am nächsten Tag brachte sie alles in die allgemeine Waschküche, rubbelte, über die Zementwanne gebeugt, die Sachen lange mit der Seife und spülte sie dann im eiskalten Wasser. Im Winter waren ihre Hände immer rot, rauh und ein bißchen geschwollen. Trotz der Anstrengung, die diese Arbeit ihrer schwachen Konstitution abverlangte, erlaubte die Mama nicht, daß ich und meine Schwester ihr halfen, und sie blickte zufrieden auf uns, wenn wir bei unseren Büchern blieben. Sie wollte, daß uns mit Hilfe einer Ausbildung ihr beschwerliches Leben erspart bliebe. Den größten Kummer in jenen Jahren bereiteten ihr die schulischen Katastrophen meiner Schwester, die einfach nicht fleißig genug war. Als Lucina in der zweiten Klasse Mittelschule sitzenblieb, geriet meine Mutter in Verzweiflung, und als sie die Aufnahme ins naturwissenschaftliche Gymnasium nicht schaffte, wurde sie krank. Sie sah ihre Tochter dazu verurteilt, für immer im Elend zu leben, ohne Möglichkeit, sich je daraus zu befreien. Mit Bitten und Betteln brachte sie meine Schwester dazu, sich im Lehrerseminar einzuschreiben, wo Lucina schließlich auch ohne weitere Mißgeschicke das Diplom schaffte.

In einer Sozialgeschichte des Geruchs von Alain Corbin findet sich unter den vielfältigen Beschreibungen der wissenschaftlichen Theorien des 18. und 19. Jahrhunderts auf der Grundlage des Studiums von Ausdünstung, Gestank, Imprägnierung und Fäulnis – sei es von Personen wie von Räumen – auch ein Kapitel, das dem »Atem des Hauses« gewidmet ist, der Synthese aller einzelnen, individuellen Ausströmungen.

Umfangreiches Forschungsmaterial dazu hätten zeitgenössische Wissenschaftler in der olfaktorischen Landschaft unserer Box finden können, in der, bei aller Vielfalt, der Geruch nach gekochtem Trockengemüse dominierte, dem Fundament unserer Ernährung. Aufgrund seiner langen Garzeit wurde es schon früh am Morgen auf der Kochplatte aufgesetzt und begrüßte mit seinem Duft unseren Tag. In regelmäßigen Abständen, wenn unvorhergesehene und unaufschiebbare Ausgaben die wenigen Lire der Unterstützung und das vom Papa mit seinen Gelegenheitsarbeiten aufgetriebene Geld ihrer einzigen Bestimmung, nämlich dem Essen, entzogen werden mußten, wurde unser Speisezettel für ein paar Wochen sehr eintönig und basierte ausschließlich auf Trockenbohnen, die billig waren und rasch den nagenden Hunger stillten. Die Mama versuchte, sie ständig geschmacklich zu verändern, und bereitete sie auf die verschiedensten Weisen zu. Mal kamen sie in Tomatensoße mit Polenta auf den Tisch, mal als Salat mit rohen Zwiebeln und mal durchs Sieb passiert als Suppe mit Teigwaren und Kartoffeln. Doch trotz dieser Tarnversuche brachten meine Schwester und ich sie nach ein paar Tagen kaum mehr hinunter, die Großmutter ging zum Essen zu Tante Nina, und die Mama gab vor, satt zu sein. Der einzige, dem es immer schmeckte, war mein Vater, der einen eisernen Magen und einen ausgezeichneten, durch nichts zu verderbenden Appetit hatte und beim Essen kein bißchen wählerisch war.

Der einzige kleine Luxus, den sich meine Eltern hin und wieder gönnten, war am Sonntag nachmittag ein Kinobesuch in einem Filmtheater dritter Klasse. Sie gingen immer allein, denn sie hatten einen anderen Geschmack als wir Mädchen. Der Mama gefielen die Liebesfilme, die gefühlvollen Geschichten, die »menschlichen Fälle«, wie sie es nannte, welche die »Geschicke des Lebens« widerspiegelten. Wir beide zogen dagegen die historisch-mythologischen oder die Abenteuerfilme vor, die den Duft eines faszinierenden und grausamen Orients zu uns brachten, von furchtlosen Musketieren erzählten oder von tollkühnen und hochherzigen Seeräubern. Es waren kleine, billige Träume, die uns – im Lichtspielhaus Azzurro, im Odeon oder im Belvedere – für zwei Stunden auf gefährliche Meere, grüne Inseln und in prunkvolle Paläste entführten. Errol Flynn und Burt Lancaster waren unsere Lieblingsschauspieler, zusammen mit Piper Laurie und Jean Simmons, deren Ausdruck ich vor dem Spiegel nachzuahmen suchte.

Abends zu Hause erzählte uns die Mama die Handlung des Films, den sie gesehen hatte, und, wenn die Fälle »menschlich« waren, ließ sie sich bis zu Tränen rühren, besonders dann, wenn es sich um irgendeine alte Geschichte mit Greta Garbo drehte, die sie seit den Zeiten von Fiume wie eine Göttin verehrte. Die Großmutter wurde natürlich ungeduldig bei diesen »Lügenmärchen«, die sie nicht betrafen und weder direkt noch indirekt etwas mit ihrer Person oder den lokalen Wetterbedingungen zu tun hatten.

An den Winterabenden färbt sich das Stück Himmel, das sich am Ende der Via Cataro abzeichnet, beim Sonnenuntergang purpurfarben, und je kälter und klarer die Luft ist, um so leuchtender wird das Rot und funkelt wie ein Rubin. Sobald die Glut nachläßt und in violette Farbtöne übergeht, erscheint mit einem leichten Zittern der erste Stern, genau über einem Akazienzweig, der sich, schwarz und dünn, über den Gartenweg neigt, der zu meinem Haus führt.

Dieser kleine Stern bringt mir die Nacht, die ich nicht liebe. Ich beeile mich dann, die Rollos herunterzulassen und die Vorhänge zuzuziehen, wie um die Dunkelheit und Kälte, die mich in meiner Jugend so gequält haben, auszusperren.

Aber heute habe ich ein wenig gezögert, ehe ich meinen Stern aus dem Fensterquadrat verbannte, als ob er mit einem neuerlichen Zittern meine geschwisterliche Aufmerksamkeit auf sich lenken wolle, um mir das Geheimnis einer unendlichen Müdigkeit von Welträumen und Einsamkeit zu enthüllen.

Der Umstand, eine halbe Analphabetin zu sein, war für meine Großmutter ein Kummer und ein Problem. Tatsächlich las sie nur stotternd und machte beim Schreiben viele Orthographie- und Grammatikfehler. Natürlich versuchte sie, die Sache zu vertuschen, und in Gegenwart von Dritten behauptete sie, nicht gut zu sehen oder daß ihre Hand zittere. Die einzigen Menschen, die ihr eine gewisse Scheu einflößten, waren solche, die studiert hatten und daher die Dinge »mit schönen Worten« sagen konnten.

Onkel Attilio, ein freundlicher Angestellter und Mann der Feder, wurde von der Großmutter wieder ausfindig gemacht, als sie begann, ihre Führerrolle innerhalb des Silos auszuüben und ihr dabei klar wurde, daß sie einen Schreiber brauchte. Dieser Onkel wohnte mit seiner Frau Elvira und der Schwiegermutter Rosina, einer Schwester der Großmutter, in einem Souterrain in der Via Broletto. Die Fenster ihrer Wohnung lagen auf Straßenniveau, und die Zimmer waren dunkel und feucht. Tante Rosina war völlig zahnlos und schnupfte Tabak. Von Zeit zu Zeit streute sie sich eine Prise gelbliches Pulver auf den Handrücken, sog es ein, nieste und spuckte dann in ein Taschentuch. An ihrer Hüfte hatte sie einen seltsamen Wulst – aus »Nerven«, wie sie sagte –, um den sie sich aber wenig scherte. In dieser Atmosphäre widmete sich Onkel Attilio der schönen Literatur. Er hatte eine Schwäche für Diplome, die er wie Briefmarken sammelte. Einmal zeigte er mir ganz aufgeregt eine beträchtliche Anzahl von Ernennungsurkunden zum Ehrendoktor, die von angeblichen Universitäten aus allen Teilen der Welt stammten. Als junger Mann hatte er patriotische Romane im Stil D'Annunzios geschrieben und war einmal sogar von Silvio Benco erwähnt worden. Die Veröffentlichung dieser Bücher hatte ihn in den Augen der Großmutter stark aufgewertet, und obwohl sie ihn unterjochte, behandelte sie ihn mit Respekt, da ihn die Aura eines Wortkünstlers umgab. Selbst auf Tante Elvira fiel noch ein gewisser Widerschein dieses Lichts, und sie wurde nur als *bardassoneta*, als kleine *bardassona* bezeichnet.

Als die Großmutter beschloß, sich der Feder ihres Neffen zu bedienen, stellte sich ihr dieser geduldig und beflissen zur Verfügung und verfaßte jahrelang in einer schönen, pathetischen und schwülstigen Prosa, die sie begeisterte, in ihrem Namen Appelle, Bittschriften und Anfragen, nicht nur an die verschiedenen städtischen Behörden und Amtspersonen, sondern auch an solche auf nationaler Ebene, und zwar ziviler wie religiöser Art. Einmal bekam er den Auftrag, an den Papst zu schreiben, um die Ernennung des Monsignore Santin zum Erzbischof zu beschleunigen, unter der Voraussetzung jedoch, daß diese Beförderung keine Entfernung aus der Diözese bedeute. »Wenn nicht, lehnen wir alles ab«, sagte die Großmutter und bewegte wedelnd ihren Zeigefinger unter der Nase des Neffen, der den energischen Ton dieser Worte zu Papier bringen mußte.

Inzwischen ist Onkel Attilio dreiundachtzig Jahre alt und lebt immer noch in derselben Wohnung. Ich sehe ihn oft, wie er mit bekümmert eiligem Schritt die Via del Broletto hinaufgeht, gefolgt in kurzem Abstand von der Gattin, die sich unbeholfen und fügsam hinter ihm herschleppt, ohne ihn je einholen zu können. Onkel Attilio hat nie aufgehört, sich seiner geliebten Literatur zu widmen, und ist auch heute noch ein geschätztes Mitglied einer der literarischen Gesellschaften Triests, deren Zusammenkünfte in den alten Kaffeehäusern er eifrig besucht.

Noch nie haben wir Neujahr im Gebirge mit so wenig Schnee gefeiert wie in diesem Jahr. Unser Dorf, fast am Ende des Antholzer Tals gelegen, ein kleines *Sleepy Hollow*, beschützt von hohen, weißen Gipfeln und bekrönt von einem – jetzt gefrorenen – See, wirkte wie aufgetaut. Die Straßen waren sauber, und die der Sonne ausgesetzten Wiesen zeigten große braune Grasflecken. Auf den Dächern und Zäunen wirkten die kleinen Schneekissen grau und kraftlos. Erst gegen Ende unseres Aufenthalts ist noch reichlich Schnee gefallen.

Seit vierzehn Jahren verbringen wir – mit der Familie meiner Schwester und den treuen Freunden aus Florenz, Venedig und Treviso – dort oben unsere Winterferien. Unsere Kinder sind alle zusammen groß geworden. Sobald sie sich treffen, vergessen sie die langen Monate, die seit der letzten Begegnung vergangen sind, und behandeln einander mit der Natürlichkeit von Geschwistern, die sich erst vor kurzem getrennt haben. In diesem Jahr waren sie alle prächtige junge Menschen. Ich habe auf ihren Gesichtern nach möglichen Zeichen ihres Schicksals gesucht: Marianna und Elisabetta sind sanft und erwachsen, Caterina und Angela lebhaft und lachend, Irene ist unruhig, Paolo ein gewitzter kleiner Faulpelz, und Francescos himmelblaue Augen sind voller Licht.

Onkel und Tante aus Venedig haben uns wie immer ihre Neujahrsgrüße geschickt. Ich habe mich telefonisch bei ihnen dafür bedankt. Es geht allen gut, und ihr Leben verläuft ruhig. Tante Ada, rund und lachlustig, hält immer noch das Haus wunderbar in Ordnung und bereitet köstliche Gerichte; Nadia, die mit ihrer Familie ebenfalls am Lido lebt, in einem schönen Haus mitten im Grünen, hat angefangen, in Venedig in einem archäologischen Museum zu arbeiten, um sich selbst zu verwirklichen, wie sie sagt, da sie es satt habe, nur Hausfrau zu spielen, und Onkel Alberto ist vollauf mit seinem Enkel Massimo beschäftigt, der großen Liebe seines Alters. Seinetwegen geht er nicht einmal mehr zum Fischen, sondern verbringt alle Nachmittage im Haus der Tochter, um dem Enkel bei den Hausaufgaben zu helfen und ihm Gesellschaft zu leisten, solange die Mutter nicht da ist. Zur Zeit besuchen sie gemeinsam die zweite Klasse Grundschule. Schon bevor Massimo zur Schule ging, hat ihm der Onkel das Lesen beigebracht, und vielleicht hat er als erstes auch mit ihm das Wort *pipa* geübt.

Heute früh im Morgengrauen habe ich, noch halb im Schlaf und vermischt mit den Träumen, das erste beharrliche Gurren einer Turteltaube gehört. Damit kündigt sich bereits der Frühling an. Schon ist die Luft an den feuchten Tagen erfüllt vom Geruch nach Erde, und die Ufer duften nach fauligen Algen.

Auch im Silos war das der Geruch, der auf irgendeine Weise in den Sanitärbereich eindrang und das Ende des Winters ankündigte. Dann intensivierte ich meine Besuche bei den Waschbecken, und manchmal nahm ich ein Buch mit, um an einem der Fenster zu lernen, bis andere Leute kamen. Das Wasser aus den Hähnen hatte einen besseren Geschmack und eine neue Frische. Wenn ich allein war, ließ ich es mir lange über die Finger laufen, ohne an etwas zu denken. Im Innern unserer Box schien das Licht weniger trüb durch das Ölpapier des Daches, auf dem die in irgendeiner Falte oder Kuhle abgelagerten Staubklümpchen, von unten gesehen, seltsame Figuren bildeten, wie in einem Schattentheater.

So wuchsen wir, meine Schwester und ich, eine Jahreszeit um die andere heran. Aber ich weigerte mich, groß zu werden und neue Probleme anzugehen, da ich die aus meiner Vergangenheit noch nicht gelöst hatte. Zuerst hätte ich ein normales Leben haben wollen, ein Zuhause wie die anderen, wo die Mama alle Mühsal und Sorgen vergessen könnte. Am liebsten hätte ich ihre Hände mit Küssen bedeckt, wenn ich beim Hausaufgabenmachen sah, wie sie sich, verbraucht und geduldig, an der elektrischen Kochplatte zu schaffen machte, die auf einem wackeligen, mit Wachstuch bedeckten Tischchen in einer dunklen Ecke der Box stand und auf der das Wasser nie kochen wollte.

Ich wünschte mir Verborgenheit, ein Versteck. Ich ging wenig fort und litt, wenn ich mich unter Gleichaltrigen befand. Es kostete mich schon Überwindung, morgens die Schule zu be-

treten, wenn ich gezwungen war, an den Grüppchen von Mit-
schülern vorbeizugehen, die sich vor dem Läuten unter den Ar-
kaden des Dante-Gymnasiums sammelten. Jedesmal holte ich
zuerst an der Hausecke tief Luft und suchte dann verstohlen,
eng an der Mauer entlang bis zum Eingangstor zu schlüpfen.

Es war für mich nicht leicht, die Realität meines Lebens im
Silos mit jener äußerlichen, in die mich die Schule versetzte, zu
vereinen. Meine Lehrer und meine Klassenkameradinnen, mit
denen ich mich gegen Ende der Gymnasialzeit doch etwas an-
freundete, wußten fast nichts von mir und von der Mühe, die es
mich kostete, in der Kälte und dem Chaos zu lernen, und sie
ahnten nicht, wie peinlich es mir war, daß ich immer denselben
Rock anhatte, zum Glück verborgen unter der schwarzen Schul-
schürze. Ich schämte mich meiner Verhältnisse. Nie redete ich
mit irgend jemandem über das Silos, und ich hoffte dringend,
das Geheimnis meines Zuhauses so lange wie möglich wahren
zu können. Daher lud ich nie Freundinnen zu mir ein, nicht
einmal die, bei denen ich hin und wieder zu Gast war, und
wenn mich eine fragte, wo ich wohnte, wurde ich rot und wies
mit der Hand vage auf ein Gebiet, das ungefähr zwischen Bahnhof, Barcola und Miramare lag.

Die Errichtung einer Kapelle im Silos hielt die Großmutter
mehrere Monate lang beschäftigt. Onkel Attilio wurde enga-
giert, bald tiefbetrübte und bald energisch-fordernde Petitio-
nen an die verschiedenen Behörden zu verfassen und vor allem
mit der Kurie in Verhandlungen zu treten. Schließlich wurde
die Genehmigung erteilt. Für die Aufstellung des Altars wählte
man einen Platz im ersten Stock, nahe der Treppe, der zwar
dunkel war, aber groß genug, um eine stattliche Anzahl Gläu-
bige zu fassen. Die Großmutter, die in ihrem Leben alles andere
als fromm gewesen war, spielte jetzt Mesnerin, wurde zur Hüte-
rin der sakralen Gerätschaften und verantwortlich für die Aus-
schmückung der Kapelle. Sie erneuerte die Blumen, zündete
die Kerzen an und richtete den Altar für den Gottesdienst her.
Auch lernte sie rasch, die lateinischen Antworten zu murmeln,
die sie dem Geistlichen bei der Messe zu geben hatte. Innerlich
hielt sie sich selbst wahrscheinlich für den eigentlichen Offi-
zianten des Gottesdienstes. Die Ankunft der Madonna Pellegrina im Silos betrachtete sie als einen persönlichen Triumph.

Ihre Aktivität als Priesterin und die patriotische Überschweng-
lichkeit, ausgelöst durch das bevorstehende Ende der Verwaltung der Alliierten, nahmen die Großmutter stark in Beschlag
und lenkten sie sowohl von den Kollekten als auch vom familiären Kleinkrieg bei uns wie in der Box ihrer anderen Tochter
ab, die vor kurzem ihren Mann auf tragische Weise verloren
hatte. Onkel Rudi, slawischer Herkunft – seinen Nachnamen
hatte man italianisiert –, war immer ein stiller und unauffälliger
Mensch gewesen. Beeindruckt hatte bei ihm lediglich der Blick
aus hellblauen Augen, transparent wie der eines Kindes. In
Fiume war er Schreiner gewesen, aber im Exil fand er keine Arbeit mehr. Die Armut hatte die häusliche Atmosphäre vergiftet,
wobei die Großmutter sicher nicht schlichtend wirkte, sondern

im Gegenteil noch Öl ins Feuer goß, indem sie den Schwiegersohn als Versager beschimpfte und ihn verächtlich behandelte, da er nicht nur schwach, sondern außerdem auch noch ein *s'ciavo* war. Schließlich hatte der Onkel angefangen zu trinken. Seine Augen röteten sich und waren oft wäßrig, blickten aber nie blöde oder böse. Der Alkohol vermittelte ihm eine heitere Zerstreuung, eine angenehme Betäubung. Aggressiv wurde er nur, wenn man ihn zu sehr reizte. Als er sich aus einem Fenster des dritten Stocks stürzte, waren alle fassungslos. Wir Mädchen wurden vom Geschehen ferngehalten und erhielten die Nachricht kommentarlos, begleitet von den Tränen der Mama, dem finsteren Schweigen des Papas und den theatralischen Leidensgebärden der Großmutter.

An diesem Tag sagte keiner von uns in der Wohnung etwas. Ich blieb lange im Waschbeckenbereich am Fenster stehen, um in den Hof hinunterzuschauen, der voll war von lebhaften, lärmenden Kindern, deren Stimmengewirr mich von weit her zu erreichen schien.

Die Großmutter verfolgte mit Leidenschaft all die komplexen Angelegenheiten der Stadt in diesen Jahren. »Mir zittert das Leben«, sagte sie immer wieder und massierte sich das Herz, wenn sie am Radio die Erklärungen des Ministerpräsidenten Pella hörte oder die Predigten des Bischofs Santin, die Nachrichten von den Massendemonstrationen in der Stadt und ihrer blutigen Niederwerfung durch General Winterton. Sie eilte, versehen mit großen Kokarden in den Landesfarben, zu allen Kundgebungen für die Italianità Triests. Meistens ließ sie sich von der Mama begleiten, die aus einer Koffertruhe eine zusammen mit anderen kostbaren Dingen aus Fiume geschmuggelte alte Fahne herausgezogen hatte.

Auch ich beteiligte mich an den Studentenstreiks, und im patriotischen Enthusiasmus fühlte ich mich zum erstenmal nicht nur als marginales Mitglied einer Gemeinschaft.

Am 5. Oktober 1954 wurde in London das Abkommen unterschrieben, das die Zone A des Freistaats Triest an Italien und die Zone B an Jugoslawien übergab.

Der Einmarsch der italienischen Truppen in Triest bedeutete das letzte starke Aufflammen im Leben der Großmutter und ein großes Glücksmoment für meine Eltern. Ich war ebenfalls stark bewegt, wenn auch vielleicht mehr aus Reflex und ohne die historische Tragweite des Ereignisses, das mir als selbstverständlich erschien, ganz zu erfassen. Ich konnte mir einfach keine andere Lösung vorstellen, denn dann wäre ja die Odyssee meiner Familie und so vieler anderer Menschen völlig sinnlos gewesen.

Im Silos aber änderten sich die Dinge nicht. Das Leben in der Siedlung ging noch für eine Reihe von Jahren in seinem trostlosen Ablauf weiter. Die Flüchtlinge wurden auch fürderhin mit Argwohn betrachtet und oft als unbequeme und unbefugte Konkurrenten um die wenigen Arbeitsplätze, die die Stadt bot, angesehen. Die Kälte blieb eine Heimsuchung. Die Heiligenbilder, welche die Leute an die häuslichen Wände genagelt hatten, verblaßten immer stärker, und die Ölpapier-Abdeckungen der Boxen wiesen inzwischen häufig Flicken aus Pappstückchen auf. Nur das Dach des Gebäudes, das einmal, nachdem es in einem Winter von der Bora weggerissen worden war, repariert wurde, war nun wasserdicht. In der Silos-Gemeinde folgten Hochzeiten, Geburten und Beerdigungen aufeinander, weil Leben und Tod stärker waren als alle Widrigkeiten, aber es fehlte auch nicht an herzzerreißenden Abschieden von Familien, die nach Australien auswanderten, in ein zweites und noch radikaleres Exil.

Meine Gymnasialjahre waren für die Familie vielleicht weniger quälend, auch wenn sich die beschränkten Verhältnisse nicht besserten. Als das unsichere Arbeitsverhältnis bei den Amerikanern endete, fand Papa eine zwar schlecht bezahlte, aber sicherere Stelle als Buchhalter in einer österreichischen Firma für Akkumulatoren und Batterien, die in Triest, in der Via San Francesco, eine Filiale eröffnet hatte und Personal brauchte, das Deutsch konnte. Durch seine Genauigkeit und Gewissenhaftigkeit erwarb er sich schon bald das Vertrauen des Inhabers, eines gewissen Dr. Jungfer, und als mein Vater nach einigen Jahren beschloß, an der Riva Grumula einen Elektrodienst für Kraftfahrzeuge zu eröffnen, half er ihm auf jede Weise und räumte ihm für den Verkauf der Bären-Batterien besonders günstige Konditionen ein.

Diese neue Arbeit stimmte den Papa euphorisch und stärkte seinen angeborenen Optimismus. »*Fioi mii, ghe son e no ghe son. Godè el papa finché lo gavè*«, sagte er oft, gerade wenn er am zufriedensten war – ein wenig, um liebkost zu werden, und ein wenig als Beschwörungsformel.

Ansonsten vergingen im Silos die Monate alle gleich. Nur die Sommer begannen mir länger und lichter zu erscheinen. An manchen Abenden, wenn gegen elf Uhr in den Boxen schon seit einer Stunde mühsam das Schweigen eingekehrt war, das nach der Hausordnung bis um sieben Uhr morgens zu dauern hatte, schlich ich vor dem Schlafengehen ein letztes Mal zum Fenster im Waschbereich. Unter den gedämpften Lichtern ging ich auf Zehenspitzen durch den großen Raum, um den Holzboden so wenig wie möglich zum Knarren zu bringen, stellte mich ans Fenster und sah hinaus in die laue und heitere Nacht. Irgendwo gab es sogar eine Grille, auch sie eine von fernen Wiesen Vertriebene, die auf dem Beton des Hofes oder den kahlen Mauern des Silos Schutz fand und Lust zu singen. Hinter mir tropfte es laut aus den aneinandergereihten Wasserhähnen in die Zink-Waschbecken, in unterschiedlichem Rhythmus, mal gleichmäßig und dann wieder zögernd und synkopiert, was ich vergeblich vorherzusehen versuchte.

Lucina und ich gingen fast jeden Tag ans Meer. Um Geld zu sparen, standen wir frühmorgens auf und nahmen die beiden Straßenbahnen, die nötig waren, um vor halb neun Uhr in Barcola zu sein. Auf diese Weise konnten wir die grünen Billets kaufen, mit denen man zwei Fahrten zum Preis von einer bekam. Gegen zwei Uhr kehrten wir dann zurück, verbrannt von Sonne und Salzluft.

Eines Tages, als ich wegen eines kurzen und heftigen Sommergewitters früher als sonst den Strand verließ und mich – über eine Pfütze nach der andern springend, um meine Sandalen nicht zu beschmutzen – am Ufer entlang auf den Weg zur Endhaltestelle der Tram Nr. 6 machte, blieb ich plötzlich stehen und sah über mir einen weit offenen Himmel, durchzogen von großen Wolken, die der Wind an den Rändern in lange bläuliche Fäden, ähnlich den Äderungen des Marmortischs bei der Großmutter väterlicherseits, ausfranste und auf einen glasklaren Horizont zutrieb. In der Ferne, am Ende des Golfs, zeichneten sich ganz deutlich die Umrisse der Häuser und des Campanile von Pirano ab. Etwas weiter, hinter Istrien, dachte ich, liegt meine Stadt, über der diese Wolken bald ankommen werden. Aber ich empfand kein Bedauern. Hier waren die gleichen Wellen, der gleiche Himmel, der gleiche Wind. Und mit einemmal fühlte ich mich zu Hause. Ich fing wieder an zu laufen und zu hüpfen, und mein Herz war erfüllt von Fröhlichkeit.

Seit ein paar Jahren erneuert sich Triest. Viele Gebäude in der Innenstadt werden, vor allem dank der Assicurazioni Generali, wieder aufgebaut, und die restaurierten und von den schwarzen Ablagerungen der Zeit gereinigten Fassaden bringen ihr herrschaftliches Gepräge erneut zum Vorschein: die schönen Jugendstil-Ornamente, die neoklassizistischen Giebelfelder der Fenster. Nie zuvor war mir bewußt geworden, in einer auch vom architektonischen Standpunkt aus faszinierenden Stadt zu leben, und wenn ich jetzt durch ihre Straßen gehe, betrachte ich nicht nur die Passanten oder die Schaufenster der Geschäfte, sondern wende den Blick auch bewußt nach oben. Auf diese Weise entdecke ich eine neue Dimension der Stadt, die der Balkone, der Lisenen, der Giebel und der Dächer, über denen sich, wie in einem Spiegel, die breiten Straßen des Himmels öffnen.

Heute, auf dem Weg entlang der Quais, funkelten die Mosaiken des Präfekturpalasts in goldenen Zuckungen, und die Karstberge hoch über der Stadt leuchteten in jungem Grün. Auch der frische, sonore Wind brachte in Böen den Duft und die Verheißung neuen Blühens – vielleicht in der Ferne, vielleicht auf dem Grund des Meeres.

Gegen Ende der Unterprima bekam ich Gelegenheit, an ein paar kleinen Festen im Haus von Klassenkameradinnen teilzunehmen. Das erstemal wurde ich von meiner Banknachbarin Marina eingeladen, mit der ich oft zusammen lernte. Sie war die Tochter eines Richters und wohnte in einem Haus, das mir wie ein Palast vorkam. In der Diele war sogar Platz für einen Ping-Pong-Tisch. Marina war ein natürliches und großzügiges Mädchen, das mich die Ungleichheit unserer wirtschaftlichen Verhältnisse nie spüren ließ.

Bei solchen Anlässen empfand ich eine konfuse Freude, eine große Unruhe und den Wunsch, die Einladung auszuschlagen. Zur Schüchternheit gesellte sich noch die Scham darüber, daß ich nichts Passendes zum Anziehen hatte. Ich wußte, daß all die anderen Mädchen für solche Partys elegante, duftige Kleider besaßen, denn sie beschrieben in der Schule Muster, Stoffe und Schnitte.

Mama erriet meine Gedanken und trug, wie sie es schon andere Male gemacht hatte, ihr mit einem Lappen glänzend geriebenes Armband aus weißem und gelbem Metall und ihren schon ganz abgewetzten Pelz, wahrscheinlich Kaninchen, ins Pfandhaus. Das machte es ihr möglich, mir einen Glockenrock und ein Twinset aus Orlon in Nilgrün zu kaufen. Dieses Twinset habe ich jahrelang eifersüchtig gehütet, auch wenn das synthetische Gewebe leider mit dem Waschen immer länger und breiter wurde und schließlich völlig aus der Form geriet.

Wassergrün heißt diese Farbe auch, die für mich noch heute die Farbe der Liebe ist.

Seit ein paar Wochen haben wir einen neuen Hausbewohner: Buffetto. Es ist ein Meerschweinchen, das die Kinder von einem Schulkameraden geschenkt bekommen haben, als es gerade ein paar Tage alt war. Genaugenommen lautet sein voller Name Buffetto II. Claudio hat ihn so genannt in Erinnerung an das Meerschweinchen, das er als Kind in der Via del Ronco gehabt hat.

Buffetto läuft frei in der Wohnung herum, beschnüffelt den Fußboden und kommentiert ständig in verschiedenen Brummtönen den großen, unbekannten Kontinent, mit dem er sich rasch vertraut macht. Er ist immer damit beschäftigt, die neuen in seine Welt eindringenden Gegenstände behutsam zu inspizieren – auf dem Boden abgestellte Taschen, Schuhe oder Bücher in niedrigen Regalen. Nur vor dem Besen und dem Staubsauger hat er einen Heidenrespekt, und sobald er sie in Aktion sieht, kriecht er vorsichtshalber unter einen Schrank. Wenn wir ihm aus dem Garten Grasbüschel, Löwenzahn oder Gänseblümchen, auf die er ganz wild ist, bringen, wird er vergnügt und ein bißchen frech. Er hat eine lustige große Nase, einen plumpen Gang, einen langen Schnauzbart und ein wunderschönes rötlich-schwarzes Fell, das er sich sorgfältig putzt. Überhaupt hält er viel von Reinlichkeit und Anstand, mit einer bürgerlichen Liebe zu Ordnung und Schicklichkeit. Zwar hat er sich bereits mit der ganzen Familie angefreundet, doch in Claudio erkennt er seinen wahren Freund, vielleicht weil der ihn mit dem größten Respekt behandelt und taktvoll auf seine Gewohnheiten eingeht, wie es einem ebenbürtigen Gefährten zukommt.

Gleichgültig gegenüber dem morgigen Tag und ohne Wissen von der unendlichen Verkettung der Ereignisse, die auch seine kleine Existenz der Weltgeschichte abverlangt hat, streift Buffetto freundlich, neugierig und zufrieden durch die Wohnung, wie um sich zu versichern, daß alles am rechten Platz ist.

Marina war eine begabte Organisatorin, und zwar nicht nur für Partys, sondern auch für Ausflüge mit größeren Gruppen. Durch sie lernte ich den Karst kennen und vor allem das Rosandertal. Der Fluß, der Wasserfall, die weißen Geröllhalden an seinen Abhängen, auf denen ich mich, Hand in Hand mit meiner Schwester zur gegenseitigen Stützung, hinunterrutschen ließ, erschienen mir wie eine verzauberte Sonnenwelt, wie ein triumphierender Gegenpol zu der erstickenden Vorhölle, in der ich lebte.

Doch in meinem letzten Gymnasiumsjahr geschah schließlich das Wunder: Das Silos begann sich zu leeren. Viele Flüchtlinge bekamen Sozialwohnungen zugewiesen, und wer weniger Glück hatte, wurde auf andere Unterkünfte verteilt. Der Großmutter bescherte dieser Moment äußersten Verdruß, sah sie doch ihr Reich langsam zerfallen. Zuletzt faßte sie einen großen Entschluß. Sie vertraute meiner Mutter ganz im geheimen an, daß sie aus Fiume ein bißchen Geld mitgebracht habe und bereit sei, für sich und uns eine Wohnung zu kaufen, unter der Bedingung jedoch, daß niemand etwas davon erfahre. Sie wollte ihr Image einer edlen, armen Dame nicht beschädigt wissen. Für die anderen sollte es so aussehen, als habe mein Vater von einer gewissen Signora Dragogna, einer ziemlich begüterten alten Bekannten aus Fiume, ein Darlehen erhalten. Nach einigen Wochen des Suchens und nach genauer Absprache mit jener Dame bot sich die Gelegenheit, von einem jungen Paar, das dabei war, nach Australien auszuwandern, in der Via Piccardi eine möblierte Wohnung zu kaufen. Die Möbel waren fast neu, und mein Vater löste sie für eine bescheidene Summe ab, die er, seit er für die österreichische Akkumulatoren-Firma arbeitete, hatte zur Seite legen können.

Auf diese Weise konnten wir sofort und ohne allzu große

Ausgaben in eine bereits fertig eingerichtete Wohnung ziehen. Sie war zwar nicht sehr groß, doch die drei verfügbaren Zimmer genügten, daß meine Schwester und ich, die Großmutter und meine Eltern jeweils für sich schlafen konnten.

Mama fand ihr Lächeln wieder, das ihr sanftes und etwas welk gewordenes Gesicht erhellte, und der Papa nahm als erstes wieder mit Genuß seine pharaonische Gewohnheit auf, den ganzen Sonntagmorgen lesend in der Badewanne zu verbringen, bis zum Hals im kochendheißen Wasser. Auch die Großmutter paßte sich rasch dem neuen Leben an, indem sie sich neue Gewohnheiten zulegte und andere kleine Herrschaftsbereiche schuf.

Lucina und ich spielten Karten um das Recht, in unserem Zimmer am Fenster schlafen zu dürfen. Tatsächlich erschienen uns die Fenster als der größte Luxus in der neuen Wohnung. Wenn ich konnte, hielt ich sie auch im Winter offen, und ich stellte mich oft davor, um dem Verkehr und den Passanten zuzuschauen. Außerdem versäumte ich keine Gelegenheit, mich auf den kleinen Küchenbalkon zu setzen, selbst zum Lernen.

In die Jahre, die wir in der Via Piccardi verbrachten, fielen wichtige Ereignisse unserer Familiengeschichte. Mein Vater eröffnete seinen Kfz-Elektrodienst, wir Mädchen beendeten unsere Ausbildung und begannen zu arbeiten, und später heirateten wir.

Aber die neue Wohnung bedeutete vor allem die wiedergefundene Heiterkeit meiner Mutter, die endlich in den Genuß eines bescheidenen Wohlstands kam. Mein Vater konnte ihr einen Kühlschrank und eine Waschmaschine kaufen und später sogar ein gebrauchtes, ziemlich verstimmtes Klavier als kleinen Ersatz für das kostbare Instrument, das vor dem Weggang aus Fiume hatte verkauft werden müssen. So begannen beide wieder ein bißchen zu klimpern, der eine *Die Csardasfürstin* und die andere schüchtern *Il piccolo montanaro*. Der Papa fing sogar an, ein neues Instrument zu lernen. Eines Tages kam er nach Hause mit einer schönen Ziehharmonika, knallrot und mit schimmerndem Perlmutt, und begann mit dem Enthusiasmus eines Anfängers geräuschvolle Unterrichtsstunden zu nehmen.

Dennoch blieb der Mama noch eine schwere Bürde zu tragen: Die Großmutter, ihres weitläufigen Wirkungsfeldes beraubt, konzentrierte ihren Herrscherinstinkt jetzt ganz auf unsere Familie. Zunächst versuchte sie, ihn an mir und Lucina auszulassen, und als das nicht gelang, beschränkte sie ihn schließlich auf das Opfer, das sich am wenigsten wehren konnte, nämlich meine Mutter. Anfangs begnügte sie sich damit, jene gewohnten Dienste von ihr zu verlangen, die Mitleid und Kindesliebe ihr schon seit langem gewährten, vom geduldigen Aufschreiben sämtlicher Wetterberichte aus der Region bis zur Behandlung des offenen Beins. Dann begann sie, unter dem Vorwand einer schwachen Gesundheit, größere Unterwerfung und immer regelmäßigere Behandlungen zu fordern, und schließlich unterlief sie nach und nach auch die kleinen persönlichen Freiheiten der Mama, indem sie über jedes Weggehen und jede normale Besorgung Rechenschaft verlangte. So wollte sie zum Beispiel im voraus wissen, wie lange meine Mutter fortbleibe, um die Einkäufe zu machen oder anderes in der Stadt zu erledigen, und duldete dann keine Verspätung gegenüber dem angegebenen Zeitpunkt. Wenn so etwas passierte, wurde sie sofort von einem Unwohlsein erfaßt, das Aufmerksamkeit, frische Luft und Melissengeist erforderte und darauf abzielte, derjenigen, die eine arme, alte, kranke und hilflose Frau so lange allein gelassen hatte, Schuldgefühle zu vermitteln. Ganz schlimm wurde es, wenn meine Mutter, die nicht lügen konnte, ihr erzählte, sie habe die Tante Teresa besucht, die in einem baufälligen Haus in der Via Molino a Vapore wohnte und durch Einsamkeit, Elend und Diabetes völlig heruntergekommen war. Nur in Gegenwart meines Vaters zog sich die Großmutter vorsichtshalber in ihr Zimmer zurück und getraute sich nicht, Vorwürfe zu machen und »Komödie zu spielen«, wie er sich ausdrückte.

»Erinnerungen, schöne Erinnerungen«, entfuhr es ihr manchmal, wenn sie an ihr verlorenes Imperium, die große Welt draußen, dachte, und dann massierte sie sich das Herz mit einem Aufblitzen von wilder Energie in den Augen.

Vieles hat sich in dieser Wohnung geändert. Von früher sind nur die Küchenmöbel und das – immer noch verstimmte – Klavier übriggeblieben. Als Nonna Anka hierherzog, hat sie ihre Dinge mitgebracht und ihren Neunzehnten-Jahrhundert-Geschmack für schwere, überladene Möbel eingeführt. Das einzige, wozu ich sie bewegen konnte, war, daß sie ein Hirschgeweih, Erbstück irgendeines ihrer Ehemänner, der Jäger war, von der winzigen Eingangstür wieder entfernte.

Auf dem Klavier steht eine Fotografie der Mama, vor die Nonna Anka ein Sträußchen Kunstblumen gestellt hat. Sie hat meine Mutter nie gekannt, doch sie hütet ihr Andenken voll Verehrung, da ihr alles Vergangene heilig ist. In den nächsten Monaten hat sie, außer einigen Wallfahrten zu Heiligtümern in verschiedenen Teilen Europas, auch einen Besuch in Spalato bei den Verwandten des verstorbenen Belić im Programm und dann bei den Kindern aus erster Ehe des verstorbenen Gregorutti. Vor ein paar Wochen hat sie mit Claudio eine Reise ins Banat gemacht, um ihm die Städte und Gegenden ihrer Kindheit und Jugend zu zeigen. Claudio war hingerissen von ihrer detaillierten Kenntnis der so komplexen und vielschichtigen Historie dieser Orte. Nonna Anka liebt die Dinge und Fakten, die bleiben. Deswegen fürchtet sie auch nicht das Vergehen der Zeit, das nur die Individuen mit sich reißt.

Der Sommer ist eine gute, freundliche Jahreszeit, die zu einer Pause und einem Sich-Fallenlassen einlädt.

Auch in diesem Jahr sind wir nach Cherso zurückgekehrt, in der Erinnerung mehr ein strahlendes Gefühl als ein konkreter Ort. Es gibt einen Moment, der mir auf der Insel besonders lieb ist, nämlich der Abend, wenn die Sonne am Horizont versinkt. Das Meer färbt sich dann golden, die Zikaden schweigen plötzlich, und die Möwen hören auf zu fliegen. Die Steine am Strand beginnen in der sofort kühlen Luft langsam die Hitze des Tages abzugeben, und im reglosen Schweigen hört man nur das leise Keuchen der Brandung, und es kommt einem vor wie der Atem des Himmels, dessen Farbe übergeht in eine hohle Blässe. Dann werden die Gedanken jung und durchsichtig, schaukeln leicht auf dem Wasser und in der Luft.

Die Fähre, die Cherso mit dem Festland, von Porozina nach Brestova, verbindet, durchquert ein Stück weit den Quarnaro, an dessen Ende man in der Ferne Fiume sieht. Wenn ich die Augen schließe, kann ich mir unser altes Haus am Baross-Hafen vorstellen und das der Großmutter Quarantotto in der Nähe der Piazza Dante. Dagegen weiß ich nicht mehr, in welchem Stadtteil sich die Wohnung der Großmutter Madieri befand mit ihrer hellen Diele und dem geheimnisvollen Zimmer. Ich würde das Haus nicht mehr finden. Es ist nur noch ein freischwebender Punkt in der Erinnerung, ein kleines Universum, das enthält und nicht enthalten ist. So bleibt Atlantis auf dem Meeresgrund verloren, von Algen und Muscheln bedeckt, leuchtend wie Früchte aus buntem Glas.

Auf vielen Fotos, die Paolo in den Ferien gemacht hat, ist auch Gusar zu sehen, unser Bootsführer, König der Absyrtiden, der uns auf die girlandenförmig um Cherso und Lussino liegenden Inseln fährt und uns den Zauber dieser großen Bläue zuteil werden läßt.

Gusar ist ein Sohn des Meeres. Seine Hände, geschickt wie die eines Jongleurs, sind groß und schwielig, seine Augen bewegliche, helle Schlitze. Eigentlich heißt er Tihomir, aber alle nennen ihn Gusar, den Piraten. An den kältesten Tagen im Winter wohnt er in Fiume bei Tochter und Enkeln, doch das ganze übrige Jahr lebt er auf seinem alten, robusten Boot, einem unglaublichen Mikrokosmos, in dem sich, in augenscheinlicher Unordnung, die unterschiedlichsten Gegenstände stapeln, die er braucht zur Befriedigung sämtlicher Alltagsbedürfnisse und für sein Zwiegespräch mit dem Meer. Gusar, der in Aussehen und Gang ein wenig an einen Affen erinnert, hat ein freundliches Wesen, und alle haben ihn gern, vor allem die Kinder, mit denen er oft spielt und die er zu Kraft- und Geschicklichkeitsproben herausfordert. Obwohl er sich seinen Lebensunterhalt mühsam verdient, indem er Touristen herumfährt und Tintenfische fängt, ist er immer aufgelegt zu Scherzen, und in Gesellschaft singt er mit zahnlosem Mund und rauher Stimme ausgelassene slawische Lieder. Wenn die Sonne unbarmherzig vom Himmel brennt, schlingt er sich ein schmutziges Hemd wie einen Turban um den Kopf, was ihm eine Aura von exotischer Majestät verleiht.

In diesem Jahr aber war Gusars Stimmung verändert. Er litt an hartnäckigen Halsschmerzen, schlief oft am Steuer ein und war zerstreut. Vor unserer Ankunft hatte er mit dem Boot einen Felsen gerammt und den Kiel ernstlich beschädigt. Auf einer schönen Großaufnahme sieht man ihn aufrecht mit verschränkten Armen am Bug stehen, vierschrötig und robust, den Kopf geneigt und die Augen geschlossen. Der Pirat ist müde.

Abends im Bett, ehe ich vor dem Einschlafen das Licht lösche, lese ich, auf das Kissen gestützt, immer noch ein wenig. Wenn ich die Augen hebe, sehe ich vor mir das neue Regal, das wir anfertigen ließen, um die wachsende Anzahl Bücher, die täglich bei uns eintreffen, unterzubringen. Es nimmt die ganze Wand ein und umrahmt die Kommode, über der zwei schöne Porträts von Claudio hängen, die vom Fotografen der Vogue anläßlich eines Interviews aufgenommen wurden.

An den ziemlich chaotisch angeordneten Büchern lehnen die Reproduktionen von zwei Botticelli-Bildern. Ich habe es gern, wenn mein Blick auf die Blumenkränze fällt, die das weiche, luftige Kleid des Frühlings schmücken, oder auf dem Grübchen im Kinn der Venus verweilt, die in einem kühlen Morgenlicht zwischen zitternden Wellen und dem Blasen des Windes weiß der Muschel entsteigt.

Auch in der Via Piccardi schlief ich gegenüber dem Bücherschrank, den die Mama kurz nach unserem Einzug bei einem Trödler im alten Ghetto gekauft hatte, um Papas lange Jahre in einem Depot verwahrten Bücher aufzustellen. Er war ganz begierig, sie wieder in der Wohnung zu haben, und fürchtete, sie könnten durch die Feuchtigkeit gelitten haben oder von Mäusen angefressen worden sein. Doch die schönen Bände der Utet-Klassiker, die medizinische Enzyklopädie, verschiedene Werke positivistischer Philosophen und Autoren aus der Zeit des Faschismus, vor allem aber die fast vollständige Sammlung der Romane von Emilio Salgari nahmen sich sofort wieder prächtig aus hinter den Scheiben des neuen, weißlackierten Schranks, auf dem ein großer geflügelter Merkurkopf mit schwerem Marmorpodest thronte, den ich zwar schrecklich fand, der aber meinem Vater sehr gefiel.

Lucina und ich haben den Verdacht, daß sich diese Bibliothek im Laufe der Zeit nicht nur durch regulär gekaufte Bücher vergrößert hatte, sondern auch durch ausgeliehene Exemplare, die nie zurückgegeben wurden. Tatsächlich kommt es nicht selten vor, daß wir in Bänden blättern, die den Stempel einer öffentlichen Bibliothek in Fiume oder auch den einer Privatperson tragen. Vor allem der Name eines gewissen G. Faddro, Viale Mussolini 6, taucht häufig auf, der entweder ein sehr großzügiger oder ein sehr zerstreuter Mensch gewesen sein muß. Auch mein Vater hatte sich einen Stempel machen lassen: Biblioteca Luigi Madierich, Fiume. Mit diesem hatte er seine eigenen Bücher gekennzeichnet und sich die der anderen durch die treuherzige Zufügung seines Namens zu eigen gemacht.

Es kommt nicht oft vor, daß ich der Frau Samec begegne, obwohl auch sie im Viertel San Vito wohnt. Wenn, dann sehe ich sie im allgemeinen morgens beim Einkaufen in irgendeinem Geschäft in der Via Tigor. Seit Frau Samec ihren Sohn in einem nie ganz geklärten Verkehrsunfall verloren hat, scheint sie ein anderer Mensch zu sein. Ihr so interessantes, wenn auch vom Alter gezeichnetes slowenisches Gesicht mit der Stupsnase ist zu einer runzeligen Maske geworden, die Stimme ist erloschen, der Gang unsicher geworden. Noch vor wenigen Jahren war Frau Samec, geboren in Ilirska Bistrica, die Königin des Monte Nevoso, des Snežnik, gewesen. Jetzt fährt sie nur noch selten nach Sviščaki, wo sie ein Ferienhaus besitzt, in der Nähe der Berghütte, in der wir, seit unsere Söhne ganz klein waren, jeden August zehn Tage Ferien machten.

Sie und ihr Mann, ein alter Jäger und Holzhändler, waren es, die uns geholfen haben, diese Orte kennenzulernen, indem sie uns über Lichtungen und Pfade führten, uns auf Höhlen und Verstecke aufmerksam machten und uns lehrten, die Fußspuren der Tiere zu erkennen. Herr Samec war auch der unerschöpfliche Rhapsode des Schneebergs. Jahrelang hat er uns, sich immer wiederholend, wie es bei alten Leuten der Fall ist, Jagdabenteuer, Geschichten von Parteibonzen im Faschismus und Episoden aus dem Krieg und dem Widerstand erzählt.

Später haben wir Professor Karolin kennengelernt, den langjährigen Präsidenten des Slowenischen Alpenvereins von Bistrica, der als junger Mann ebenfalls ein leidenschaftlicher und unermüdlicher Jäger war und der dem Snežnik sein ganzes Leben gewidmet hat. Jetzt, mit Achtzig, fällt ihm das Gehen schwer, und er schafft die steilen Waldwege nicht mehr, auf denen er sich früher mit der Sicherheit eines wilden Tiers bewegt hat.

Doch immer noch steht der Snežnik im Zentrum seiner Interessen. Er ist gleichsam dessen Schutzgott geworden: An jeder Wegkreuzung bringt er Hinweisschilder an, frischt alte, verwitterte Inschriften auf, zeichnet aus dem Gedächtnis genaue topographische Karten, sammelt bizarre Wurzeln, malt Bilder und schreibt edle stereotype Verse, die selbstverständlich seinem Snežnik gewidmet sind. »Grüßen Sie mir Ihre hochgeschätzte Frau Mutter«, sagt er zu Claudio auf deutsch im ausgefeilten, umständlichen Stil eines k.u.k. Beamten.

Doch wie viele Lieben führt auch die seine für den Snežnik manchmal zu Schulmeisterei und Reizbarkeit, was so weit geht, daß er wütend auf seinem Hut herumtrampelt, wenn er sich im Weg geirrt hat, oder seine letzte Lebensgefährtin, die gesellige Frau Ida mit den lachenden blauen Augen, anfährt. Die nimmt das aber nicht weiter übel. Offensichtlich gefällt den Frauen die barsche Pedanterie des Professors Karolin, der ein ziemlich bewegtes Gefühls- und Eheleben gehabt hat.

Auch von ihnen haben wir gelernt, diese Wälder zu lieben und ihre geheimen Botschaften zu entziffern. Hier sind die Erdschollen vom Wildschwein umgepflügt worden, da kam vor kurzem ein Reh vorbei, dort bei einer Wasserpfütze haben der Hirsch und der Bär ihre Spuren hinterlassen. Wir lernten die faszinierenden und schwierigen Namen der Mulden und Lichtungen auswendig: Grčavec, Padežnica, Črni Dol, Pomočnjaki. Viele unserer Gedanken haben die Farbe und Konturen dieser Landschaft angenommen, und viele phantastische und amouröse Begegnungen sind mit den taubedeckten Morgendämmerungen verflochten, wenn wir – unbeweglich und versteckt – auf das Erscheinen des Waldgottes warteten, auf einen Hirsch, ein Reh, vielleicht sogar den Bären.

Hoch oben zwischen den Latschenkiefern, in Tri Kaliči, Amphitheater des Ewigen, haben wir zweimal Wölfe gesehen. Dort oben ist der Wechsel der Jahreszeiten Harmonie der Schöpfung, und das Vergehen der Zeit hat den Duft nach dem Harz der Bäume und den Wohlgeruch von Tee, der aus dem feuchten Teppich welker Blätter am Boden strömt.

Sie sind unvorhersehbar, unsere Gedanken, das Spiel der Assoziationen, die Verkettung der Ideen, wie Valentin Braitenberg in den *Vehicles* erklärt.

Auch seine sympathischen Roboter bewahren in einem Gestrüpp von komplizierten und einfallsreichen Mechanismen aus Drähten, Sensoren, Konduktanz und Schwellenwerten einen Raum für schöpferisches Verhalten, einen kleinen Streifen Freiheit.

Vor ein paar Tagen war ich unterwegs, um mich mit Claudio in Wien zu treffen. Am Bahnhof von Villach hat der Zug ziemlich lange Aufenthalt. Durch das Fenster betrachtete ich den klaren Himmel und das ständige Hin und Her der Reisenden. Auf dem gegenüberliegenden Gleis stand ein einsamer schwarzer Waggon. Unter den starken und gut geschmierten Puffern kam eine niedliche kleine Stufe zum Vorschein. Weiter oben, um eine rostige Leiter herum, die vom Dach nach unten führte, waren gelbe Zickzack-Pfeile gemalt, wie die Blitze, die man sich von Jupiter geschleudert vorstellt oder die an den Hochspannungshäuschen Lebensgefahr anzeigen. Ich dachte, daß all das einmal nicht da war und eines Tages nicht mehr dasein würde. Es konnte nicht sein, daß Gott, das Große Gedächtnis, nicht existierte.

Der Steinhof, wo ich die Kapelle von Otto Wagner besichtigte, hat mich mit meinen Gedanken unversehens wieder nach Hause gebracht. In Triest ist der Komplex der jetzt aufgelassenen Irrenanstalt San Giovanni ein genaues Abbild dieser Wiener Anlage: auf einem Hügel erbaut und symmetrisch in Pavillons gegliedert, die versteckt im Grün eines weitläufigen Parks mit großen Freiflächen, Beeten und kleinen Wegen liegen.

Dort, in San Giovanni, hat die Mama ihr letztes Lebensjahr verbracht, als Opfer der Alzheimer-Krankheit, die sie in einem irreversiblen Prozeß vorzeitig vergreisen ließ und rasch ihren Körper und Geist zerstörte bis zum Tod. Die ersten Anzeichen dieses Leidens machten sich gleich nach dem Tod der Großmutter bemerkbar. Es begann mit Gedächtnisausfällen in bezug auf kleine alltägliche Ereignisse, nebensächliche Episoden ihres Lebens. Dann waren es die Namen der Dinge, die ihr nicht mehr einfielen. Meine Mutter merkte, daß sie dabei war, sich selbst abhanden zu kommen, und versuchte verzweifelt dagegen anzukämpfen, indem sie die Bezeichnungen von Gegenständen – Uhr, Kissen, Stuhl – auf Zettel schrieb, die sie in der Wohnung verstreute: nutzlose Rettungsringe, ausgeworfen in den Sumpf des Vergessens, der sie verschlang. Nach und nach vergaß sie die Orthographie und schließlich das Schreiben selbst. Die Wirklichkeit, auch diese schreckliche, erscheint manchmal wie ein Plagiat berühmter Seiten der Literatur. Ihr hoffnungslos zerstörtes Gedächtnis versank in Nacht. In den letzten Monaten konnte sie nicht einmal mehr mich und meine Schwester erkennen. Dagegen rief sie bis zuletzt immer nach Papa. Er war der letzte, der ausgelöscht wurde.

Ein kleiner abgeschlossener Teil der Bibliothek im Arbeitszimmer ist den Familienpapieren vorbehalten.

In diesem Randgebiet der Wohnung, außerhalb der großen alltäglichen Routen, ist die Zeit vielleicht stehengeblieben und hat ihren eigenen Widerstand organisiert. Wenn ich, was selten vorkommt, dort etwas suche oder ablege, scheint es mir, als ob plötzlich unwahrscheinliche und hartnäckig treibende Bruchstücke der Vergangenheit an der gegenwärtigen Stunde anlegten. Hier sind unsere alten Fotos aufbewahrt, die Kinderzeichnungen der Söhne, ihre ersten Hefte aus der Grundschule und die originellsten Aufsätze. Zwei Hefte gehören zu Claudios Kindheit, eines, das er als Pfadfinder schrieb, befaßt sich mit der Geschichte der Adler-Staffel und das andere mit der Klassifizierung der Hunderassen, bebildert mit schönen Illustrationen, ausgeschnitten aus den Fachzeitschriften seines Vaters, der ein großer Hundeliebhaber war.

Es gibt auch mein persönliches Ressort, bestehend aus einer alten Blechschachtel, dekoriert mit goldenen Reben auf blauem Grund, die ursprünglich Bonbons der Marke Elah enthielt, wie man innen lesen kann. Schon in der Via Piccardi hatte ich darin meine im Internat und im Silos entstandenen Zeichnungen gesammelt. Sie waren die einzige Zerstreuung, die ich mir nach den Hausaufgaben gegönnt hatte. Den Kopf voller Träume kopierte ich romantische oder dekadente Landschaften mit Teichen, bedeckt von roten Blättern, und efeuumrankten Statuen. Ich malte Prinzessinnen, die sich ihr langes Haar am Ufer von dunklen Seen kämmen, Hirschkälber, Schimmel und turmbewehrte Burgen.

Neben diesen Blättern wird ein Prospekt des Friends International Centre aufbewahrt, eines Quäker-Clubs, den ich frequentierte, als ich nach Ende des Studiums und auf Rat von Onkel

Alberto acht Monate in London als Au-pair-Mädchen arbeitete, um Englisch zu lernen. Und es findet sich auch mein Flugbuch mit dem Flugzeugführerschein ersten Grades, den ich dank eines nach dem Abitur gewonnenen Pilotenstipendiums machte.

Schließlich gibt es noch einen Packen Briefe von meiner Mutter, adressiert an das Istituto Campostrini und an die Colonia Humanitas »Don Bosco« in Bezzecca. Als Absender steht: Silos, Tür Nr. 354.

Diese Woche werde ich ein paarmal in der Wohnung eines Mädchens übernachten, die von der Gemeinde für ein Semester als Nachtpförtnerin angenommen wurde und nicht weiß, wo sie ihr wenige Monate altes Kind lassen soll. Und am Freitagnachmittag gehe ich in den Kinderhort, hole die kleine Valentina ab und bringe sie zu uns, bis ihre Mutter kommt, die eine Abendschule besucht, um die mittlere Reife zu machen und damit ihre Arbeitschancen zu verbessern. Die zweijährige Valentina kommt gern in meine Wohnung. Sie mag Claudio und die Jungen, was auf Gegenseitigkeit beruht, vor allem aber hat es ihr unser zahmes Meerschweinchen angetan, das sich geduldig an den Ohren streicheln und unter dem Tisch verfolgen läßt, ohne davonzulaufen. »Buffetto ist schön«, hat sie einmal geäußert und sogleich hinzugefügt: »Auch meine Mama ist schön.«

Seit einigen Jahren widme ich einen Teil meiner Zeit den Kindern, die trotz großer Schwierigkeiten auf die Welt kommen durften, nicht zuletzt dank der Solidarität und Freundschaft anderer. So vergrößert sich meine Familie nach und nach, was viel Bereicherung, aber auch viele neue Pflichten mit sich bringt.

Und doch, wenn die Leute, die mich kannten, ehe ich das Unterrichten, das ich ja gern gemacht habe, aufgab, mich fragen, was ich denn jetzt den ganzen Tag tue, fällt es mir schwer, in wenigen Worten und ohne pathetisch zu werden, zu erklären, daß sich mein gegenwärtiger Einsatz auf der Grenze zwischen Leben und Tod bewegt. Und so rechtfertige ich meine Tage meistens damit, daß ich von meinen Söhnen erzähle, von den Reisen, die ich das Glück habe, hin und wieder mit Claudio machen zu dürfen, von dem Informatikkurs, den ich seit zwei Jahren besuche, um den Umgang mit dem Computer, den wir angeschafft haben, zu lernen, und ich schweige über meine Bestürzung, wenn ein Kind nicht gerettet werden kann, oder auch über die Freude, die ich empfinde, wenn es einem anderen aus Liebe zugestanden wird, bei uns zu bleiben, damit wir uns weniger allein fühlen in diesem irdischen Abenteuer.

An einer Wand des Salons in der Via Piccardi, jetzt fast völlig von einem großen schweren Holztisch eingenommen, der aus der vorherigen, wesentlich größeren Wohnung von Nonna Anka stammt, hängt ein Ölgemälde mit dem Porträt der Großmutter Madieri in voller Größe: Schön und gebieterisch sieht sie darauf aus, die braunen Haare füllig um den Kopf angeordnet, groß und schlank die Gestalt. Es war Nonna Anka, die im Keller diese sperrige Leinwand entdeckte und sie rahmen ließ.

So werde ich jedesmal, wenn ich das Zimmer betrete, mit den Rätseln dieses Gesichts, seiner Vergangenheit und meiner Ursprünge konfrontiert und begegne diesem Blick, der dem Betrachter überallhin folgt. Es gelingt mir fast nicht mehr, mir diese in ihrer strahlenden Reife dargestellte Großmutter als alte Frau vorzustellen. Wäre es nicht wegen der schneeweißen, nach Sauberkeit duftenden Haare, an die ich mich deutlich erinnere, könnte ich meinen, ich hätte sie so gekannt: noch jung, mit schlanker Taille, der spitzengesäumten Bluse, eine Perlenkette um den Hals und eine Hand hinter dem langen Rock verborgen.

Die Großmutter Quarantotto dagegen, die noch lange bei uns in der Via Piccardi lebte, ist mir vor allem mit ihrem letzten Erscheinungsbild, dem eines hinfälligen Greisentums, im Gedächtnis. In ihren letzten Lebensmonaten, nahe den Achtzig, mümmelte sie den ganzen Tag vor sich hin, schwachsinnig, zahnlos, das Kinn so weit vorgeschoben wie die Nase. Die Mama wischte ihr oft den Speichel ab, den diese unaufhörliche Kieferbewegung auf den Lippen produzierte. Ihr ganzer, einst so stattlicher und majestätischer Körper war zu einer gallertartigen, zittrigen Masse geworden. Meine Mutter, die bereits anfing, die ersten Symptome ihres Leidens zu spüren, und sich überanstrengt fühlte, widmete mittlerweile ihre ganze Zeit diesem Geschöpf, das ihr das Leben gegeben hatte und es ihr jetzt langsam wieder nahm.

Wenige Monate nachdem die Großmutter begraben war, nahm Mamas Krankheit dramatische Formen an. Sie wurde in das Ospedale Maggiore eingeliefert und von dort in die Heilanstalt San Giovanni verlegt, aus der sie nicht mehr herauskam.

Organisiert von der Rektoratskirche Notre Dame de Sion gab es gestern ein Podiumsgespräch über Sterbehilfe, das neue große Thema, das sich heimtückisch und unaufhaltsam in den Vordergrund drängt und seinen Platz in den Gewissen und in der modernen Kultur erobert. Die Referenten waren ein Geriater, ein Jurist und ein Moraltheologe. In der anschließenden Diskussion meldete sich ein etwa achtzehnjähriger junger Mann, mit einem Gesicht, auf dem der Bart noch nicht gleichmäßig wuchs, freundlichen Zügen und einer schüchternen Stimme. Er selbst, sagte er, werde aufgrund seiner moralischen und religiösen Prinzipien nie Sterbehilfe leisten, doch er finde es ungerecht, die Freiheit des anderen einzuschränken, wenn es um dramatische Fälle von unheilbar kranken alten Menschen gehe, die auf den Familien lasteten und deren Frieden zerstörten, wie er es bei seinem Großvater erlebt habe. Die Argumentation der Abtreibung wiederholt sich pünktlich. Der Sieg des Stärkeren ist unvermeidlich.

Außer meinem Vater war es Tante Nina, die sich am meisten um die Mama während ihrer Krankheit kümmerte. Meine Schwester und ich waren erst seit kurzem verheiratet und hatten kleine Kinder. Ich erwartete bereits Paolo und unterrichtete, so daß es für mich nicht einfach war, oft ins Krankenhaus zu gehen. Tante Nina dagegen kam, obwohl sie den ganzen Tag arbeitete, um Wohnungen, Büros und Restaurants zu putzen, regelmäßig dreimal in der Woche. Sie hatte vor Jahren eine halbseitige Gesichtslähmung gehabt, sich jedoch gut davon erholt, auch wenn ihr Mund schief geblieben war und ein Auge ständig tränte. Sie wollte sich mit dem Verfall der Schwester nicht abfinden und redete mit ihr wie immer, knöpfte ihr den Morgenmantel zu und beklagte sich, wenn er Flecken vom Milchkaffee hatte, brachte ihr Gebäck und steckte es ihr in kleinen Stückchen in den Mund. »Schmeckt fein«, sagte meine Mutter, langsam mit geschlossenen Augen kauend. »Iß Jole, iß, das tut dir gut«, drängte die Tante sie immer wieder und wischte ihr das hagere Gesicht mit einem blütenweißen Taschentuch ab.

Meine Mutter starb mit sechzig Jahren und dem Aussehen einer Hundertjährigen.

Als sie im Sterben lag, wachten wir abwechselnd bei ihr im Krankenhaus. In diesen Runzeln, ähnlich den Zeichen, die das Meer auf dem Sand hinterläßt, in diesen uralten und nicht wiederzuerkennenden Zügen, in diesen eigensinnig dichten und kräftigen Haaren sah ich, wie bei *Siddhartha*, die Furchen der Erde, die Illusion der Zeit, die Flüsse, die Bäume und die Städte meines Lebens, die Wege, die ihre Zuneigung gebahnt hatte, die weißen Blütenblätter meiner Kindheitsveilchen, die hartnäckige und schmerzliche Liebe, die ihre Küsse mich gelehrt haben.

Als sie starb, war ich nicht bei ihr. In der Nacht war ich heimgegangen, um mich ein bißchen auszuruhen, und Claudio hatte mich abgelöst. Er und Onkel Alberto waren es, die ihren letzten leichten Atemzug aufnahmen.

Es ist spät. Das Geschirr vom Abendessen ist weggeräumt, die im Dunkeln liegenden Zimmer sind für die Nacht hergerichtet. Die Jungen liegen noch nicht im Bett. Einer sitzt verschlafen vor dem Fernseher, und der andere geht noch eine Lektion für die bevorstehende mündliche Prüfung durch. Claudio korrigiert das Manuskript seines letzten Artikels. Ihre ruhigen Atemzüge beleben die Wohnung.

Am Fenster sitzend, blättere ich diese Seiten durch, diese kleinen Tropfen im Ozean des Gelebten, die mir plötzlich so armselig vorkommen und nicht angemessen, auch nur diesen ruhigen und gelösten Augenblick zu beschreiben.

Draußen wacht die klare, sternenrauschende Nacht über Gesichter und Worte, die ich nie werde ausdrücken können. Ein großer Teil meiner Geschichte versinkt in dieser süßen Finsternis, ähnlich der, die mich eines Tages in den großen, guten Frieden aufnehmen wird, in dem bereits mein Vater und meine Mutter weilen.

Doch ich empfinde keine Trauer, nur Dankbarkeit. Wenn ich nach Ithaka zurückgekehrt bin, wenn in dem langen Schweigen meines Lebens für ein paar Augenblicke die Töne eines Walzers widerhallten, den die Planeten und Sterne, die heute abend so hell funkeln, in der Odyssee des Weltraums tanzen, dann spüre ich, daß ich sehr vielen, auch vergessenen Menschen dankbar sein muß, die mir durch ihre Liebe oder auch bloß durch ihre freundschaftliche, geschwisterliche Nähe nicht nur geholfen haben zu leben, sondern vielleicht mein eigentliches Leben sind.

Nachwort

Wir sind tief, werden wir wieder klar. Diese Nietzsche-Worte – so gern zitiert von Saba, der sie als eine ideale Beschreibung seiner eigenen Dichtung empfand – können auch das Schreiben von Marisa Madieri definieren. Verschiedentlich hat die Kritik die glasklare Transparenz ihres Werks hervorgehoben, die den dunklen Untergrund des Lebens in der reinen Oberfläche der Dinge, so wie sie sind, erscheinen läßt, kristallenes Wasser, auf dessen Spiegel sich die verschlungene Geometrie der Unterwasserhöhlungen abzeichnet.

Das Wasser ist ein bedeutsames Element im Werk Marisa Madieris, und es hat ihr wesentliche und großartige Landschaften eingegeben, Bilder der Fülle, der Hingabe, voll von Einsamkeit und Geheimnis, von schwereloser Grazie und unerträglicher Intensität, angefangen bei den adriatischen Horizonten in *Wassergrün* bis zu den märchenhaften und ozeanischen in *La conchiglia* [Die Muschel], ihrer letzten Erzählung, die sie nicht mehr beenden konnte, die aber vollkommen ist, ein kleines Meisterwerk. In einem kurzen Essay von 1989 spricht Marisa Madieri vom Wasser mit Worten, die, ohne daß sie sich dessen bewußt ist, auch für ihr Schreiben gelten können: Klarheit, die die Dinge in ihrer Wahrheit hervortreten läßt, Schlamm aus der Tiefe, Strandgut von gesunkenen Schiffen und trübe Schlacken des Herzens. Dieses Auftauchen, von dem auf den ersten Seiten von *Wassergrün* die Rede ist, ist zugleich ein Entrollen der Zeit und das Entstehen der Niederschrift: Das Buch entsteht »in kleinen Strudeln aus einem unbestimmten Magma heraufkommend, das sich lange Jahre in einem dunklen, nie ausgeloteten Grund angesammelt hat«.

Diese Obskurität ist individuell und kollektiv, Verletzung der Kindheit und Beschädigung durch die Geschichte, lange verdrängt und schließlich in ihrer nackten Wahrheit an die

Oberfläche und ins Bewußtsein gespült, wie ein Stein an den Strand. *Wassergrün* ist in erster Linie der authentische Bericht einer historischen Tragödie, einer Massenerfahrung, die sich im Buch im persönlich Erlebten niederschlägt und manifestiert. Den roten Faden – beziehungsweise das offenkundigste Motiv – bilden die aus der Tiefe auftauchenden Bruchstücke und Erinnerungsfetzen des istrischen Exodus, die sich nach und nach zu einer einheitlichen Handlung zusammenfügen. Am Ende des Zweiten Weltkriegs hatte sich Titos Jugoslawien nach seinem außergewöhnlichen Partisanenwiderstand nicht nur die ethnisch slawischen Gebiete, die sich Italien zuvor einverleibt hatte, wieder zurückgeholt, sondern auch von Italienern bewohnte Landstriche okkupiert und an sich gerissen, wie Istrien und Fiume – heute Rijeka –, wo Marisa Madieri geboren wurde und als Kind mit der Familie gelebt hat.

In den Jahren davor war es durch die Faschisten zu Unterdrückung und Gewalt gegen die Slawen gekommen sowie zur Mißachtung oder völligen Negierung ihrer Rechte auch von seiten vieler zwar nicht ausgesprochen faschistischer, aber nationalistischer Italiener. Die jugoslawische Revanche im Zeichen von Totalitarismus und Nationalismus schlug ihrerseits heftig zurück und richtete sich undifferenziert gegen alle Italiener. Darüber hinaus verflocht sich der nationale Streit mit einem politischen Konflikt weit größerer Ordnung, dem zwischen Ost und West, zwischen kommunistischer und westlicher Welt, denn die umstrittenen und zerrissenen Ostgrenzen Italiens waren damals der unüberwindliche und angsteinflößende Eiserne Vorhang.

In jenen von Angst, Einschüchterung und Verfolgung geprägten Jahren unmittelbar nach dem Krieg verließen etwa dreihunderttausend Italiener in verschiedenen Etappen Istrien, Fiume und andere Orte Dalmatiens, wobei sie alles verloren und – wie Marisa Madieri und ihre Familie – jahrelang ein elendes und ungewisses Leben in Flüchtlingslagern wie dem in diesem Buch beschriebenen Silos führten, oft mißtrauisch beäugt von den Einheimischen, in deren Städten sie versuchten, sich eine neue Existenz aufzubauen, und dadurch in eine verbitterte und gereizte Isolierung getrieben wurden. Manche von ihnen ließen sich durch das erlittene Unrecht zu einem antislawischen Nationalismus verleiten, im Gegensatz zu anderen, die – wie Marisa Madieri – fortfuhren, sich zum Dialog zwischen Italienern und Slawen zu bekennen und sich einer italienisch und slawisch gemischten, venetisch-adriatischen und mitteleuropäischen Welt zugehörig zu fühlen. In *Wassergrün* läßt sich die Liebe zu dieser vielfältigen Grenzidentität, zu diesem kleinen Schmelztiegel deutlich erkennen: das italienische Triest mit seiner österreichischen Prägung, der seit Jahrhunderten gegenwärtigen slowenischen Minderheit, der jüdischen Gemeinde sowie der armenischen, der serbischen und all den anderen; Istrien, venezianisch in den Küstenstädten, kroatisch im Hinterland und unentwirrbar vermischt in vielen Gebieten dazwischen; Fiume, ehemals überwiegend italienisch, aber auch kroatisch und ungarisch; die italienischen Patrioten mit den deutschen oder slawischen Familiennamen wie Slataper, und die slawischen Patrioten wie Trumbić, der erklärte, er denke zwar italienisch, fühle sich aber leidenschaftlich als Kroate.

Eine Grenze kann Brücke sein, um dem anderen zu begegnen, oder Schranke, um ihn zurückzuweisen, ein Ort der Öffnung oder einer fanatischen Abriegelung. *Wassergrün* fügt sich in die reiche Tradition Triestiner Grenzliteratur ein, von Slataper bis Stuparich, von Bettiza bis Tomizza und vielen anderen; es fügt sich ein mit absoluter Originalität, indem es jene Welt und jene Ereignisse aus der Erzählperspektive der Kindheit wiedergibt, ohne ideologische Stellungnahmen und historische Interpretationen, sondern gewissermaßen von unten her, vom Boden der Geschichte. Marisa Madieri erzählt von der

Vertreibung mit völliger Offenheit, ohne Vorsichtsmaßnahmen und ohne Bedauern, ohne Ressentiments und ohne die Absicht zu verurteilen oder freizusprechen, sie erzählt voll Mitleid und Achtung für alle und ohne Angst, jemanden zu kränken.

Indem sie ihre Geschichte und die ihrer Familie – einer italienischen Familie, die in jenen Jahren Opfer des jugoslawischen Regimes wurde – schreibt, entdeckt sie die bisher verdrängten teilweise slawischen und ungarischen Wurzeln ihrer Vorfahren, das heißt, sie entdeckt, daß sie nicht *nur* Italienerin ist, und entwickelt ein Gefühl besonderer Nähe und Freundschaft, gleichsam von Komplementarität gegenüber der slawischen und darüber hinaus der mitteleuropäischen Welt. Nicht zufällig wollte sie viele Jahre später wieder Kroatisch lernen, die Sprache, die sie als Kind in der Schule des jugoslawisch gewordenen Fiume lernen mußte, dann aber vergessen hatte, um sich dieses Element ihres dunklen und unausgeloteten Urgrunds wieder anzueignen.

Nicht nur in Jugoslawien, sondern auch in Italien ist das Drama der Vertreibung lange Zeit verdrängt beziehungsweise verfälscht worden. Die Nationalisten setzten es auf ihre Fahnen, um die antislawischen Ressentiments zu schüren, die Demokraten schwiegen darüber aus der törichten Angst, für Nationalisten gehalten zu werden. So gesehen war *Wassergrün* – bei aller diskreten, zurückhaltenden, aber unanfechtbaren und hartnäckigen Festigkeit, die Marisa Madieri auszeichnete – auch ein tabubrechendes Buch. Ich erinnere mich an die Diskussion in Zagreb, noch zu Zeiten des vereinten Jugoslawien, anläßlich der kroatischen Übersetzung von *Wassergrün,* als Predrag Matvejević in einem außergewöhnlichen Beitrag sagte, es sei das erste Mal, daß man an diesem Sitz des Schriftstellerverbands mit solchen Worten von der Vertreibung spreche, und daß dieses Buch auch die Jugoslawen von der Notwendigkeit überzeuge, in ihrem siegreichen Krieg zwischen Befreiungen und Besetzungen zu unterscheiden. Nicht von ungefähr stieß das Buch, nachdem es in Italien mit Enthusiasmus aufgenommen worden war, gleich darauf in Kroatien auf ein besonders starkes Interesse.

Wassergrün erzählt von der Vertreibung, doch bei aller Bedeutung ist diese nicht das Hauptthema, sondern eher das – natürlich stark empfundene – Material oder der Vorwand, um eine andere, fast unausgesprochen bleibende und trotzdem eindringlich vorhandene Geschichte zu erzählen: die der erwachsenen Frau, die an jene Vergangenheit zurückdenkt und sie aufarbeitet; die Geschichte ihrer Gegenwart und ihrer Zukunft, die sich mit beunruhigenden Zeichen ankündigt; die ihres Erfülltseins und ihrer Melancholie, die der Liebe, des mit jemandem geteilten Lebens, des Zaubers und der Ernüchterung des Daseins. Der eigentliche Protagonist von *Wassergrün* ist das Fließen der Zeit, erlauscht und Erzählung geworden; die Vergangenheit wird in die Gegenwart integriert, in der Unsterblichkeit seiner großen Augenblicke dem Vergessen entrissen, aber auch umgeformt in eine chronologische Schichtung, die mit der Vor- und Rückwärtsbewegung des Schreibens zusammenfällt, in welcher das Buch – in einer Art kristalliner Verdichtung – gleichsam wie von selbst entsteht.

Sicher, *Wassergrün* ist voll von Dingen, Personen, großer Geschichte und kleinen Geschichten, pikaresken und melancholischen, komischen und dramatischen Ereignissen; von selbstvergessenem Nachdenken und vergnügter Heiterkeit, von panischer Hingabe an die Fülle des Seins und mutig unter Kontrolle gehaltener Bestürzung. Es ist ein Buch, geschrieben gegen das Vergessen, um das Leiden wiedergutzumachen, um Dankbarkeit, Pietät und Liebe zu bezeugen; ein Buch, das seine liebevolle Aufmerksamkeit dem kleineren und schwächeren Leben zuwendet, seinen noch so winzigen Aspekten; ein kleiner zeitgenössischer Klassiker, wie es genannt wurde. »Ich brauche so viele Dinge, um wenige Seiten zu füllen«, sagte Marisa Madieri einmal in einem Interview. Aber all das wird zu Musik der Zeit, mit ihrer Stetigkeit, ihren Ängsten und ihren Brüchen; das »Stakkato« wird zum kompositorischen Prinzip. »Wir«, hat die Autorin in einem anderen Interview gesagt, »sind geronnene Zeit«, die von der Erzählung aufgelöst und neu zusammengesetzt wird.

Über die Erzählung der Vergangenheit zeichnet sich – in einer Art Konkavität, als Schatten, wie die nicht sichtbare andere Seite des Mondes – die Geschichte einer Frau ab, die eng mit den Problemen von heute befaßt ist; einer Frau, die mit Zartheit die Territorien von Schmerz und Dunkelheit durchläuft (in *Wassergrün* gibt es soviel Dunkel und soviel Licht, soviel Leid und Glück, die Tränen der Dinge und das laute Lachen der Fröhlichkeit, die ganze Last und zugleich die Leichtigkeit des Seins). Der istrische Exodus wird daher zur Erfahrung einer universalen Ungewißheit des Schicksals und eines größeren, ambivalenten und komplexen Exodus, dem Auszug aus jedem gelobten Land, der die Grundbedingung des Lebens ist. Exodus, lehrt die Bibel, bedeutet Verlust, aber auch Rettung; die eigenen Wurzeln verlassen und neu pflanzen, Tod und Wiedergeburt (nicht von ungefähr ist die Metamorphose ein weiteres großes Thema von Marisa Madieri). Jede Äneis, selbst die kleinste, sagt, daß die Errichtung eines Reiches ein Exil voraussetzt.

Dieses letztere ist auch das weibliche Exil, die »Atopie«, der Un-Ort der Frau in der Geschichte. *Wassergrün* ist auch – ohne jede Ideologie, die in *La radura* (Die Lichtung) ironisiert wird – eine nicht zur Schau gestellte Wiederaneignung der Weiblichkeit, eine Reise zur Geschichte über das Ungeschichtliche des unterdrückten weiblichen Seins, das eine unerhörte Perspektive des eigenen Ichs impliziert, die epische Akzeptanz eines exemplarischen Schicksals und zugleich die ruhige Herausforderung, es aus der Welt zu schaffen. Es gibt einen merkwürdigen Widerspruch zwischen einer starken Präsenz der gegenseitigen Liebe, des glücklichen gemeinsamen Lebens, der familiären Zuneigung und einem von weiblichen Nachkommen getragenen Universum, in dem die Frauen die Szene beherrschen und dem Niedrigen, dem Geringsten, dem Betrübtesten Gerechtigkeit zukommen lassen; die Frauen sind die Trägerinnen des vielleicht höchsten Wertes, nämlich der Erinnerung, nicht verstanden als regressive Nostalgie, sondern als Rettung, als immerwährende und lebendige Gegenwart der Menschen, der Gefühle, der Dinge, die ganz einfach *sind*, jenseits der Wirbel und dunklen Strudel, die sie ständig in den Tod hinunterziehen. In einer der intensivsten Passagen von *Wassergrün* wird Gott selbst, angesichts des Auslöschens der Dinge und ihres Hinabstürzens ins Nichts, als das Große Gedächtnis definiert. Marisa Madieri scheint die Dinge in der Gegenwart zu benennen, sie festzuhalten in ihrer Ewigkeit (in, wie gesagt wurde, einer Art absolutem Schreiben), so wie wir sagen, Homer *ist* ein großer Schriftsteller, auch wenn er bereits seit Jahrtausenden tot ist. Diese unzerstörbare Gegenwart der Dinge wird nicht konterkariert, sondern vielmehr potenziert durch die messerscharfe Wahrnehmung, die die Autorin von der Vergänglichkeit und dem Tod hat.

In *Wassergrün* wie in ihren anderen Büchern findet sich eine hartnäckige Treue zur Realität, die gleichzeitig eine moralische Haltung von Achtung und Mitleid ist, völlig frei von jeglicher Überheblichkeit oder Selbstüberschätzung und ein poetisches wie stilistisches Prinzip. Dieser so gewissenhafte und präzise Realismus, der an die Wahrheit der Sinne glaubt – bei einigen ihrer Texte hat man von erdnahen Geschichten gesprochen –, weitet sich in einer schwindelerregenden vertikalen Dimension aus; die Dichte entspannt sich in einem einfachen Fließen, das vor allem die Pausen und das Schweigen sprechen läßt. Das Wesentliche besteht im Nicht-Gesagten, im Unausgesprochenen, getreu der von Hemingway so geschätzten Eisberg-Poetik, nach der nur ein Achtel von dem, was erzählt wird, aus dem Wasser ragt beziehungsweise deutlich gesagt wird. Marisa Madieri ist eine Meisterin in der Kunst des Weglassens und Verknappens; das machte sie auch mit meinen Texten, von denen – bis zu ihrem Tod – keine Seite veröffentlicht wurde, ohne vorher gemeinsam geprüft (und oft gekürzt) worden zu sein, und vieles, wie *Donau* und *Die Welt en gros und en detail,* ist aus einer Anregung von ihr entstanden.

Wesentlichkeit, Subtraktion, zweihundertfünfzig Seiten publiziert in fünfzehn Jahren einer spät aufgebrochenen und nie nach Schaffen und Publizieren begierigen Kreativität; nicht einmal zum Schluß begierig, die Erzählung, an der sie gerade schrieb, zu beenden, im Wettlauf mit der – wie sie mit absoluter Klarheit wußte, ohne sich davon aus der Fassung bringen zu lassen – immer bedrohlicher werdenden Krankheit. Nüchterner, lakonischer Stil, Ablativi absoluti und Akkusative nach griechischer Art, vielleicht sogar die Trockenheit der Geschäftsbriefe, die sie schrieb, als sie, ehe sie unterrichtete – nach bester mitteleuropäischer Tradition des Schriftstellers, der zugleich Angestellter ist –, wie weiland Kafka bei den Assicurazioni Generali arbeitete: All das verwandelt sich, wie gesagt wurde, in die weise Schlichtheit eines Baumblatts, in den unverwechselbaren Ton des Schweigens, wird »sprezzatura«; freundliche Undurchdringlichkeit für Gewalt und Niedrigkeit, von Leidenschaft und Menschenliebe getränkte Nonchalance. Das Nicht-Gesagte, die Pause, ist auch unerwartete Annäherung von gegensätzlichen Situationen und Gefühlen, deren Kurzschließung Momente von unauslöschlicher, heftiger Intensität auslöst, Windstöße, die das Segel blähen oder seinen Mast knicken. Eine Liebesgeschichte wird in sparsamsten Andeutungen skizziert, mit ganz wenigen Strichen wird die leidenschaftliche Liebe zu den Söhnen gezeichnet, der heftigste Schmerz findet sich wie beiläufig in einen Satz aufgenommen, ein Detail reißt unvermutet eine Lücke in die Existenz. Marisa Madieri gelingt es, die entspannte

Ruhe des Erzählens mit dem jäh sie zerreißenden Bruch zu versöhnen, das Märchenhaft-Freundliche mit dem karstigen Fluß der Gewalt, der unterhalb der Anmut fließt, das maliziöse Spiel mit dem Sinn für das Tragische und der moralischen Leidenschaft.

In *Wassergrün* – wie in ihren anderen Geschichten, ja mehr noch – gibt es die von der Autorin bewußt bejahten Werte, oder wie sie, Marc Aurel zitierend, sagte, die Götter, an die sie glaubte und die ihre Gesichtszüge prägten: das religiöse, christliche Gefühl, das Interesse für das Leben in seinen am stärksten von Übergriffen bedrohten Formen (die Kindheit, sogar die ersten Phasen vorgeburtlicher Existenz, die Jugend, das Alter, die Behinderung, die Einsamkeit, wie sie in anderen Erzählungen von ihr vorkommen); die Faszination des »niedrigsten« pflanzlichen und mineralischen Lebens, dem ihr zweites Buch, *La radura*, gewidmet ist, in dem die Figuren, angefangen bei der Protagonistin Dafne, einer Margerite, Pflanzen und Tiere sind; die Nächstenliebe; die Verschwisterung mit allen Geschöpfen; der Glaube, trotz allem, an die Bedeutung und den Zauber des Lebens.

Doch Marisa Madieris Blick schreckt nicht zurück vor dem Bösen, der Gewalttat, der Schande, dem jeden Sinn Negierenden. In *Wassergrün* gibt es auch Epiphanien der Brutalität (der Onkel, der Frau und Töchter vergewaltigt), des Schmerzes (die verheerende physische Zerstörung der Mutter, Inkarnation des höchsten Sinns des Lebens), der Unterdrückung. Sinn und Sinnlosigkeit wohnen in vielen ihrer Texte beisammen.

Sicherlich empfindet Marisa Madieri die Existenz als Kontinuität und epische Totalität mit warmer Hingabe und christlicher Nächstenliebe: »Das Leben draußen in der Welt war also groß, schön, leidvoll und heilig, und ich würde eines Tages daran teilhaben«, schreibt sie in *Wassergrün*. Aber dieses warme Leben, wie Saba es nannte, erscheint ihr nur echt, wenn es von jedem Quentchen Sentimentalität und billigen Pathos befreit ist. Ergänzend zum epischen und christlichen Lebensgefühl Tolstois – und zum Gefühl des immer neuen Abenteuers, beispielsweise symbolisiert im *Grande Sertão* von Guimarães Rosa, den sie gern zitierte – findet sich bei ihr eine unerbittliche Kälte des Blicks und des Schreibens, die das Böse, den Konflikt und die Verbindung von Verzauberung, Schmerz, Lüge, Liebe, Selbstbetrug und Bosheit, die es in der Welt, in den Menschen, in der Gesellschaft gibt, ins Visier nimmt. Nur wenn man weiß, daß jede Existenz eine *liaison dangereuse* ist, kann man sie uneingeschränkt lieben. Mag sein, daß diese Fähigkeit, der Medusa ins Gesicht zu sehen, auch etwas mit dem Glauben zu tun hat, wenn es stimmt, wie Céline behauptet, daß die großen Religionen das Verdienst haben, die bittere Pille nicht zu versüßen. Freilich, der ernüchterte Blick eines Laclos, Flaubert oder Svevo, den sie sehr liebte, ist ihr nicht weniger wesensverwandt als das warme Leben eines Tolstoi und Saba.

Marisa Madieri war überzeugt, daß nur die geometrische Nüchternheit und das klare Wissen um die unerbittlichen Mechanismen des Daseins diese Grazie des Lebens, diese Ergriffenheit und Verlorenheit des Herzens, die sie so stark empfand, liebte und lebte, authentisch zum Vorschein bringen könnten. Diese kristalline Klarheit des Verstands wird zur Transparenz des Stils und kann so bedrängend werden wie die Beweisführung eines Theorems – wie es bei manchen nichtliterarischen Schriften von ihr der Fall ist, die anläßlich von Diskussionen und Polemiken entstanden, welche mit der unausweichlichen Logik der großen Moralisten geführt wurden. Sie war sich bewußt, daß das Leben ein guter Kampf ist und daß es, wie es im Evangelium heißt, Momente gibt, in denen man den Mantel verkaufen und ein Schwert erwerben muß. Vielleicht hatte sie ihre nicht einfache Geschichte, die sie in *Wassergrün* erzählt, gelehrt, dieses Schwert – widerstrebend zwar, aber entschlossen – zu gebrauchen, und nicht einmal dem Krebs ist es leichtgefallen, sie zu besiegen. Und sie wußte, daß man, hat man einmal der dunklen Seite der Dinge ins Gesicht gesehen, ihr verrücktes Karussell frohen Herzens lieben kann, ihre Komik und das ganze wunderliche und liebenswerte Theater der Welt, in dem mich fröhlich gehenzulassen sie mir beigebracht hat.

In ihrer Prosa gibt es viel Wasser, viel Meer. Eine Landschaft, die auch von Ferne und Einsamkeit kündet, von der Tragödie und dem Nichts, vor allem aber von Erfüllung und Hingabe, von der Kindheit des Individuums und der gesamten Menschheit, die aus dem Wasser herkommt, auch wenn sie es oft vergißt. In *Wassergrün* bildet die Meerlandschaft der istrischen Küste und der Insel Cherso die Kulisse für das Erlebnis der Liebe, die erneute Selbstfindung, für jenen Eros, der unterschwellig ihr Werk durchzieht, für ein Leben, das gelebt wird wie ein glorreicher Sommer. »Vielleicht gemahnt mich ein Knötchen, das ich von neuem in meiner Brust entdeckt habe, an den Schatten, mit dem wir leben müssen. Jedes Leben trägt in sich den Keim seiner Zerstörung. Doch morgen fahren wir alle zusammen zu unseren von den Göttern bewohnten Inseln, Cherso, Unie, Canidole, Oriule, Levrera. Für zwölf Tage werde auch ich unsterblich sein.«

Wir haben unseren Sommer gehabt, sagte sie wenige Wochen, ehe sie starb, im Ton der Herausforderung, mit dem man von etwas spricht, was einem niemand mehr wegnehmen kann, denn kurz vorher, Anfang Juni, hatten wir unvergeßliche Tage am Meer von Miholaščica auf der Insel Cherso verbracht. In dieser Landschaft ist sie in gewisser Weise enthalten, denn, wie der Ich-Erzähler von *La conchiglia,* ihrer letzten Erzählung, sagt, während er versucht, sich an die Züge seiner geliebten, vor vielen Jahren verstorbenen Frau zu erinnern, »es ist, als hätte sich ihr Gesicht in den Dingen aufgelöst, sich ihnen hingegeben«.

* * *

Aus leicht nachvollziehbaren Gründen ist es mir sehr schwergefallen, dieses Nachwort zu schreiben. Wie macht man es, über einen Menschen zu sprechen, der Bücher von seltener Intensität schrieb und dabei die eigene Lebensgefährtin war, das Inbild der Liebe und der gemeinsamen Existenz, deren Verlust das Leben verstümmelt hat und die weiterhin präsent ist in den Dingen und den Stunden? Man fürchtet, nicht unterscheiden zu können zwischen dem, was nur auf privater Ebene zählt, und dem, was von objektivem Interesse ist, sich vom Gefühl übermannen zu lassen oder sich, als Reaktion, hinter einer sterilen und falschen Neutralität zu verbergen, als spräche man von einem Schriftsteller aus einem früheren Jahrhundert. Abgesehen von den sachlichen Informationen, vor allem über die Vertreibung der Italiener aus Istrien und Fiume, die das Leitmotiv von *Wassergrün* bildet und dem deutschen Leser offensichtlich wenig bekannt ist, habe ich versucht bei allem, was die Beschreibung, Interpretation und damit unvermeidlich die Wertung des Werks von Marisa Madieri betrifft, in erster Linie andere zu Wort kommen zu lassen – Kritiker und Wissenschaftler, die sich mit ihr beschäftigt haben –, indem ich in vielen Fällen deren Worte und Urteile wiedergab oder paraphrasierte, wenn sie mit dem übereinstimmten, was ich denke und fühle und was mich tröstet, von unvoreingenommenen Stimmen bestätigt zu sehen. Diese Seiten sind daher in gewisser Hinsicht von vielen geschrieben, die ich eigentlich jedesmal einzeln nennen müßte. Doch diese Worte anderer sind nicht weniger meine, wie es uns mit allen Texten geschieht, die uns bis ins Mark treffen – wie eine Faust, sagt Kafka – und von denen es uns nach einer Weile scheint, wir hätten sie selbst geschrieben.

Claudio Magris

Anmerkungen

30 **CAV** – Abkürzung für »Centro di Aiuto alla Vita« (Zentrum für die Hilfe zum Leben).

30 **Referendum** – 1981 gab es eine Volksabstimmung zur Abschaffung des gesetzlichen Abtreibungsverbots, das jedoch nicht zum Erfolg führte.

31 Reise ins »**tausendjährige Reich**« – Anspielung auf Musil, in dessen *Mann ohne Eigenschaften* es einen mystischen und vor allem erotischen Zustand außerhalb aller normalen materiellen und psychologischen Befindlichkeiten bezeichnet.

38 **Aktion Fiume** und **Carnaro-Regierung** – Fiume (Rijeka) mit seiner Mischbevölkerung aus Italienern, Kroaten und Ungarn wurde nach dem Ersten Weltkrieg zum Zankapfel zwischen Italien und dem neu entstandenen Königreich Jugoslawien, was zu heftigen Auseinandersetzungen auch innerhalb der Bevölkerung führte. In diesem nationalistisch aufgeheizten Klima besetzte Gabriele D'Annunzio am 12. September 1919 mit neuntausend »Legionären« die Stadt und errichtete die »Reggenza del Carnaro (oder Quarnaro)«, die sich ein Jahr lang hielt. 1920 wurde Fiume im Rapallovertrag zum Freistaat (unter italienischer Führung) erklärt, 1924, im Vertrag von Rom, schließlich dem italienischen Staat einverleibt.

46 **Tersatto** – Vorort von Fiume mit berühmter Madonnen-Wallfahrtskirche

46 **Cantrida** – später Borgomarina, am Meer gelegener Stadtteil von Fiume.

50 Stunde der »**Persuasion**«, der »Überzeugung« – Anspielung auf das Hauptwerk Carlo Michelstaedters *La persuasione e la rettorica*, um dessen Philosophie es auch im Roman *Ein anderes Meer* von Claudio Magris geht.

50 **Mrs. Ramsay** – Figur aus dem Roman *Die Fahrt zum Leuchtturm* von Virginia Woolf.

57 **Der grüne Urucuia** – Rio Urucuia: Anspielung auf den auch an anderer Stelle erwähnten Roman *Grande Sertão* des brasilianischen Autors Jao Guimarães Rosa.

64 **Mahaz** – Dialektausdruck für »Talent«.

67 **»Weit ging ich fort, verließ jene Brust«** – Zitat aus dem Gedicht *Variazioni sulla rosa* von Umberto Saba, übers. von Paul-Wolfgang Wührl (Piper 1991).

68 **»Ohi me meni«** – (dalmatinisch-triestinischer Mischdialekt) etwa: »Oje, ich Arme!«

76 **Clorinda** – Frauengestalt aus dem Epos *Das befreite Jerusalem* von Torquato Tasso.

93 **Lega Nazionale** – italienisch-patriotischer Verein in Triest.

102 **Alain Corbin**, *Pesthauch und Blütenduft. Eine Geschichte des Geruchs*. Aus dem Französischen von Grete Osterwald, Berlin 1984.

105 **Silvio Benco** – bekannter Triester Kritiker, einer der ersten Leser von Italo Svevo und James Joyce.

111 **Madonna Pellegrina** – Pilgermadonna: Ende der vierziger Jahre bereiste eine Madonnenstatue ganz Italien, überall mit religiöser Begeisterung aufgenommen und in feierlichen Prozessionen weitergetragen.

112 **S'ciavo** – triestinisch verächtlich für Slawe.

115 **Fioi mii ...** – (triestinisch) etwa: »Meine Kinder, noch bin ich da. Genießt euren Papa, solang ihr ihn noch habt.«

R. M. G.

Die heute gültigen Namen der im Buch erwähnten ehemals italienischen Orte in Slowenien und Kroatien:

Cittanova –	Novigrad
Fiume –	Rijeka
Villa del Nevoso –	Ilirska Bistrica
Monte Nevoso –	Snežnik (Krainer Schneeberg)
Pirano –	Piran

Die Inseln:

Arbe –	Rab	**Lussino** –	Lošinj
Canidole –	Vele Srakane	**Oriule** –	Orjule
Cherso –	Cres	**Unie** –	Unje
Levrera –	Zeča